PALABRAS DESCONOCIDAS DE JESUS

BIBLIOTECA DE ESTUDIOS BIBLICOS

14

Obras de Joaquim Jeremias
publicadas por Ediciones Sígueme:

– *Teología del Nuevo Testamento I* (BEB 2)*
– *Palabras desconocidas de Jesús* (BEB 14)
– *Abba. El mensaje central del Nuevo Testamento* (BEB 30)

* El fallecimiento en 1979 de J. Jeremias impidió que completara la obra con el
planeado volumen II.

JOACHIM JEREMIAS

PALABRAS DESCONOCIDAS
DE JESUS

QUINTA EDICION

EDICIONES SIGUEME
SALAMANCA
1996

Tradujo Fernando Carlos Vevia Romero
sobre el original alemán: *Unbekannte Jesusworte*
© Gütersloher Verlagshaus Gerd Mohn ([4]1975)
© Ediciones Sígueme, 1976
    Apartado 332 - Salamanca (España)
ISBN: 84-301-0698-7
Depósito Legal: S. 1030-1996
Printed in Spain
Gráficas Varona. Polígono «El Montalvo» - Salamanca 1996

CONTENIDO

SIGLAS Y ABREVIATURAS

BFChTh   Beiträge zur Förderung christlicher Theologie.
BHTh   Beiträge zur historischen Theologie.
Billerbeck   H. L. Strack - P. Billerbeck, *Kommentar zum Neuen Testament aus Talmud und Midrasch* I, 1922; II, 1924; III, 1926; IV, 1928; V-VI (de J. Jeremias - K. Adolph) 1956.
BWANT   Beiträge zur Wissenschaft vom Alten und Neuen Testament.
BZ   Biblische Zeitschrift.
BZNW   Beihefte zur Zeitschrift für die neutestamentliche Wissenschaft.
CChr   Corpus Christianorum (series latina).
CN   Coniectanea Neotestamentica.
CSCO   Corpus Scriptorum Christianorum Orientalium.
CSEL   Corpus Scriptorum Ecclesiasticorum Latinorum.
DLZ   Deutsche Literaturzeitung.
EvTh   Evangelische Theologie.
ET   The Expository Times.
FRLANT   Forschungen zur Religion und Literatur des Alten und Neuen Testaments.
GCS   Die Griechischen Christlichen Schriftsteller der ersten Jahrhunderte.
GGA   Göttingische Gelehrte Anzeigen.
Hennecke[2]   E. Hennecke, *Neutestamentliche Apokryphen*, Tübingen [2]1924.
Hennecke[3]   E. Hennecke - W. Schneemelcher, *Neutestamentliche Apokryphen* I: *Evangelien*, Tübingen [3]1959.
HNT   *Handbuch zum Neuen Testament.*
HThR   The Harvard Theological Review.
JQR   The Jewish Quarterly Review.
KIT   Kleine Texte für Vorlesungen und Ubungen, ed. por H. Lietzmann-K. Aland.
MeyerK   *Kritisch-exegetischer Kommentar über das Neue Testament*, ed. por H. A. W. Meyer.
MPG   Patrologiae cursus completus. Series graeca, ed. por J.-P. Migne.
MPL   Patrologiae cursus completus. Series latina. ed. por J.-P. Migne.
Muséon   Le Muséon. Revue d'Etudes Orientales.
NAG   Nachrichten der Akademie der Wissenschaften in Göttingen.
N.F.   Neue Folge.
NTA   Neutestamentliche Abhandlungen.

NTD	Das Neue Testament Deutsch.
NTS	New Testaments Studies.
PJ	Palästinajahrbuch.
PO	Patrologia Orientalis.
PrJ	Preussische Jahrbücher.
PS	Patrologia Syriaca.
RB	Revue Biblique.
RGG³	*Die Religion in Geschichte und Gegenwart*, Tübungen ³1957 ss.
RHR	Revue de l'Histoire des Religions.
RThPh	Revue de Théologie et de Philosophie.
SAB	Sitzungsberichte der Preussischen Akademie der Wissenschften zu Berlin.
SC	Sources Chrétiennes.
SQS	Sammlung ausgewählter kirchen-und domengeschichtlicher Quellenschriften.
StD	Studies and Documents.
ThBl	Theologische Blätter.
ThBT	Theologische Bibliothek Töpelmann.
ThF	Theologische Forschung. Wissenschaftliche Beiträge zur kirchlich-evangelischen Lehre.
ThLBl	Theologische Literaturblatt.
ThLZ	Theologische Literatuzeitung.
ThR	Theologische Rundschau.
ThSt	Theological Studies.
ThStKr	Theologische Studien und Kritiken.
ThW	Theologisches Wörterbuch zum Neuen Testament.
ThZ	Theologische Zeitschrift.
TU	Texte und Untersuchungen zur Geschichte der altchristlichen Literatur.
VD	Verbum Domini.
VigChr	Vigiliae Christinae.
WUNT	Wissenschaftliche Untersuchungen zum Neuen Testament.
ZDPV	Zeitschrift des Deutschen Palästina-Vereins.
ZKTh	Zeitschrift für katholische Theologie.
ZNW	Zeitschrift für die neutestamentliche Wissenschaft und die Kunde der älteren Kirche.
ZSTh	Zeitschrift für systematische Theologie.

DEL PROLOGO A LA PRIMERA EDICION

En los últimos años, y en diversos lugares de Alemania y Suiza, he tenido ocasión de hablar acerca de las «Palabras desconocidas de Jesús». Y siempre me ha causado profunda impresión el comprobar cómo estas palabras de Jesús cautivan a los oyentes, ya sean intelectuales o gente sencilla, sin distinción alguna, y cómo se entregan a ellas. Las palabras de Jesús conservadas en los evangelios nos fueron enseñadas desde nuestra niñez, de tal manera que corremos el peligro de no experimentar ya toda su fuerza. En cambio, en estas palabras, desconocidas, de Jesús los oyentes creen poder sentir otra vez algo de lo que sintieron aquellos hombres a los que llegó la palabra de Jesús por primera vez. Por ello he accedido gustosamente al ruego, repetidamente expresado, de hacer imprimir estas palabras...

Espero que este trabajo venga a llenar, aun en su modestia, un vacío real que existía en el ámbito de la investigación. Ningún perito en la materia negará que la investigación acerca de los agrapha ha progresado muy firmemente en la cuestión relativa a la legitimidad, y que ya es el momento de dar un paso más, arriesgando un intento de interpretación...

Ojalá las palabras de Jesús y las narraciones relativas a Jesús, de las que se va a tratar en este libro, nos aproximen a muchos de nosotros más a él.

PROLOGO A LA TERCERA EDICION

La tercera edición (la primera databa de 1948, siendo revisada en 1951) tenía planteada una doble tarea. En primer lugar tenía que incorporar el nuevo material; sobre todo el evangelio de Tomás, y también las tradiciones sirias a las que todavía no se había prestado atención. Con este motivo tuvo que rehacerse toda la primera parte, que ahora pretende ofrecer una visión de conjunto sobre el material referente a los agrapha. *A continuación hubo de ser revisada críticamente la elección de los logia comentados en la segunda parte. Con este fin se restringió el punto de vista hermenéutico. Si la primera y segunda edición intentaban interpretar aquellas palabras de Jesús que hallándose fuera de los evangelios podían sin embargo por su contenido y su forma (y según la historia de las tradiciones) colocarse en un mismo escalón con las palabras de Jesús contenidas en nuestros cuatro evangelios, ahora la tercera edición se limitaba a los* agrapha *cuya legitimidad histórica constaba con seriedad. De este modo se reducía el número de 21 a 16, aunque sin embargo se elevaba a 18 con el hallazgo de dos nuevos* agrapha. *En el apéndice mencionaremos dos* agrapha *citados frecuentemente y que ya no pertenecen al ámbito de este trabajo. La historia de la tradición de algunas de las palabras estudiadas, podrá ser ulteriormente todavía más explicada.*

La revisión se llevó a cabo con la colaboración de Otfried Hofíus, quien por su dedicación al evangelio de Tomás era el mejor preparado para esta tarea. La exégesis del agraphon *estudiado en II, 6, procede casi completamente de su pluma.*

JOACHIM JEREMIAS
Göttingen, agosto 1962

1

ESTADO EN QUE SE ENCUENTRA LA INVESTIGACION

El tema del presente libro son las plabras dispersas del Señor, llamadas en griego *agrapha* [1] (literalmente: palabras no escritas). Entendemos por palabras dispersas del Señor, o *agrapha*, las palabras de Jesús que no están en los cuatro evangelios. De hecho poseemos un gran número de esas palabras que fueron transmitidas fuera del texto de los cuatro evangelios. Pero antes de dedicar a ellas nuestra atención, digamos alguna palabra acerca del punto en que se halla la investigación, y también acerca de la tarea concreta que nos hemos propuesto.

1. Los *agrapha* conocidos hasta 1911, y transmitidos independientemente, fueron reunidos por E. Klostermann, *Apocrypha III. Agrapha, slavische Josephsstücke*, Oxyrhynchos-Fragment 1911, en KlT 11, Bonn-Berlin ²1911. Los *agrapha* contenidos en los evangelios extracanónicos y en los papiros, se hallan en E. Klostermann, *Apocrypha II. Evangelien*, en KlT 8, Berlin ³1929; H. B. Swete, *Zwei neue Evangelienfragmente*, en KlT 31, Bonn 1908, 1924; H. I. Bell - T. C. Skeat, *Fragments of an unknown gospel*, London 1935. El texto copto del evangelio de Tomás de los hallazgos de Nag Hamadi se cita de: *Evangelium nach Thomas*. Koptischer Text hg. und übersetzt von A. Guillamont, H.-Ch. Puech, G. Quispel, W. Till und Yassah 'Abd al Masih, Leiden 1959. Constantemente han sido compulsados las colecciones, más antiguas, de textos de A. Resch, *Agrapha. Aussercanonische Schiriftfragmente gesammelt und untersucht*, en TU N.F., 15, 3-4, Leipzig ²1906 (citado: Resch), y J. H. Ropes, *Die Sprüche Jesu die in den kanonischen Evangelien nicht überliefert sind*. Eine kritische Bearbeitung des von D. Alfred Resch gesammelten Materials, en TU 14, 2, Leipzig 1896 (citado: Ropes). La bibliografía se menciona en su lugar correspondiente. Conscientemente he prescindido de dar una bibliografía completa, pues el carácter propio del tema se ha prestado a que (aun recientemente) se hallan escrito muchas cosas desprovistas de todo valor científico.

I.   Origen de la transmisión,
REALIZADA FUERA DE LOS EVANGELIOS, DE PALABRAS DE JESÚS

Antes que nada se plantea esta pregunta: ¿cómo es posible que algo de tal importancia —palabras de Jesús— no esté en los evangelios? ¿por qué no hallaron tales palabras acogida en los evangelios? ¿cómo se pudo llegar a esa yuxtaposición de una tradición evangélica y otra extraevangélica de las palabras de Jesús? Para tratar de entenderlo es necesario recordar dos hechos típicos del origen de la tradición evangélica.

Primero: durante largo tiempo sólo existió una *tradición oral* acerca de Jesús, de sus palabras y hechos, de su vida, muerte y resurrección. En aquellas decenas de años difíciles en los que la nueva fe se abría paso en Siria, Asia Menor, Grecia e Italia, el evangelio existía exclusivamente, en cuanto nos es dado saber, en forma oral. Así permaneció durante casi treinta y cinco años. La persecución de Nerón trajo por primera vez un cambio (una vez más hemos de repetir: en cuanto nos es dado saber). Cuando se volvieron a encontrar los miembros de la comunidad romana que habían escapado al infierno de la persecución contra los cristianos del otoño del 64, notaron la falta, entre otros muchos, del apóstol Pedro, que había sido crucificado en los jardines del Vaticano. Recordaron las inolvidables horas en las que Pedro les había contado sus propios recuerdos acerca de los días que Jesús pasó en la tierra: de la llamada para seguirle, del momento de la confesión en Cesárea de Filipo, de Getsemaní, y de la negación en la noche del viernes santo. Entonces se les ocurrió pedir al colaborador de Pedro, Juan de Jerusalén, por sobrenombre Marcos, que había sobrevivido a la persecución, que pusiera por escrito todo lo que se acordara de las enseñanzas del apóstol. Marcos cumplió el ruego [2]. Sus sencillas anotaciones son las primeras tradiciones escritas sobre la vida de Jesús de las que tenemos noticia cierta [3].

---

2.   La noticia más antigua sobre la redacción del evangelio de Marcos, la que da Papías (Eusebio, *Hist. eccl.* III, 39, 15) presupone que el evangelio de Marcos fue escrito después de la muerte de Pedro. En la comunicación del «anciano» a Papías se dice que «Marcos, el intérprete de Pedro, había escrito con exactitud todo aquello de lo que se acordaba».

3.   Todas las afirmaciones sobre anotaciones escritas, anteriores a las de Marcos, son hipótesis indemostrables. No es probable que haya fuentes escritas anteriores al evangelio de Marcos; «la fuente escrita de los logia» es, en nuestra opinión, un producto de la fantasía; nada habla a favor de que el «Ur-Lukas» (la fuente especial de Lucas) sea anterior al evangelio de Marcos Ni siquiera se puede invocar la palabra «muchos» (Lc 1, 1) para dar mayor

Segundo hecho: el relato de las palabras y los hechos de Jesús redactado por Marcos, debió de causar una enorme sensación, pues su ejemplo fue seguido con entusiasmo. El campo estaba maduro para la cosecha. Era evidente que el evangelio de Marcos (como fácilmente se puede imaginar) no abarcaba todo lo que entonces se poseía en tradiciones relativas de Jesús. Por ello comenzaron a recogerse en otros sitios esas tradiciones. En las décadas siguientes aparecieron por todas partes escritos semejantes, unas veces siguiendo fielmente el modelo, otras veces (tal es el caso de los evangelios de Mateo y de Lucas) utilizando el evangelio de Marcos. Pronto poseyó cada sector de la iglesia su propio evangelio. Por esta razón la iglesia del siglo II se encontró ante el hecho de que existía una gran cantidad de evangelios muy distintos, los cuales ofrecían una imagen abigarrada y confusa. Hasta qué punto era confusa esa imagen lo muestra claramente el que también la gnosis, aquel movimiento religioso vasto y complejo que mezclaba ideas judías, orientales y griegas, con elementos cristianos en una *Weltanschauung* sincretista, produjo toda una serie de evangelios. Los primeros rasgos del pensamiento gnóstico se encuentran en el evangelio de Pedro; después fueron también gnósticos, entre otros, el evangelio de los egipcios, el evangelio de Tomás, y el evangelio de Felipe[4]. Esos evangelios gnósticos contienen en muy pequeña proporción tradiciones antiguas sobre las palabras y hechos de Jesús; en su mayor parte presentan doctrinas gnósticas, en parte esotéricas, que eran colocadas por los gnósticos en labios de Jesús, preferentemente Jesús glorificado, para conseguir de este modo una mayor autoridad para sus doctrinas. La iglesia encontró una solución genial para esa situación insostenible estableciendo el canon de los cuatro evangelios. Todos los demás evangelios fueron apartados, y poco a poco considerados exclusivamente como apócrifos; como consecuencia, fueron en gran parte destruidos. En particular los evangelios judeo-cristianos, de tan especial importancia, sólo nos han llegado, desgraciadamente, en fragmentos.

probabilidad a unas anotaciones anteriores a Marcos; como ha demostrado H. J. Cadbury en F. Jackson - K. Lake, *The beginnings of christianity* I, 2, London 1922, 492 s, en este lugar es retórica y tiene únicamente ante los ojos el evangelio de Marcos y la fuente especial de Lucas.

4. Debe notarse que varios textos de Nag Hamadi (cf. p. 22) como por ejemplo los evangelistas de Tomás y Felipe, y el evangelio de los egipcios no son idénticos a los conocidos hasta ahora con ese nombre (y sólo poseídos fragmentariamente). Desde el punto de vista de la historia de las tradiciones se halla en sus comienzos el estudio sobre las relaciones que hay entre los «excerpta» transmitidos por los padres de la iglesia, y los textos coptos completos.

Esta es pues la respuesta a la cuestión de cómo se explicaba la existencia de una tradición extraevangélica de las palabras de Jesús: el número de las tradiciones referentes a palabras de Jesús, que corrían de boca en boca en el dilatado espacio eclesial, era tan grande que nuestros cuatro evangelios no podían abarcarlas todas. Además, tanto en el ambiente eclesiástico como en el gnóstico, el acervo de tales tradiciones se acrecentó con las palabras de Jesús que se hacían remontar a revelaciones directas del glorificado. De este modo se explica que al lado de nuestros cuatro evangelios haya existido desde el principio una tradición extra-evangélica tan variada relativa a Jesús.

II.   Historia de la investigación y de los hallazgos

La moderna investigación sobre los *agrapha* data del año 1889. Ese año (por tanto antes de la época del hallazgo de los papiros) fue presentado por primera vez ese material en forma científica y aprovechable. Basándose en sus predecesores, Alfred Resch publicó entonces una recopilación del material que todavía hoy sigue constituyendo la base: *Agrapha-Ausserkanonische Evangelienfragmenten;* la segunda edición (1906) lleva el título, ligeramente modificado, de *Agrapha-Ausserkanonische Schriftfragmente.* Parece que al leer este libro encontramos algo de la alegría del descubrimiento que el mismo Resch debió de sentir cuando consiguió arrancar del olvido, aquí y allá, a menudo en lugares apartados, alguna palabra de Jesús hasta entonces ignorada. Pero Resch defendía la teoría sumamente aventurada de un proto-evangelio *(Urevangelium)*, y creyó, de modo funesto, poder reconocer por doquiera, en las palabras dispersas del Señor, fragmentos de su proto-evangelio; por esta razón la crítica que hizo del material reunido es muy escasa (aunque no se puede decir que falte por completo).

La reacción no se hizo esperar. Vino en 1896 (todavía antes de la época de los papiros), es decir, siete años después de la primera edición del libro de Resch, bajo la forma del trabajo de un investigador norteamericano: James Hardy Ropes, *Die Sprüche Jesu, die in kanonischen Evangelien nicht übeliefert sind. Eine kritische Bearbeitung des von D. Alfred Resch gesammelten Materials.* Si hemos de agradecer a Resch la recopilación, aun hoy día fundamental, del material, a Ropes hemos de agradecer la elaboración crítica de ese material, que aun hoy día sigue siendo orientadora. Procede de la siguiente manera: en primer lugar descarta 84 palabras que o no habían sido tenidas nunca por la tradición como palabras del Señor (73), o que habían sido equivocadamente citadas por ella como palabras del Señor (11). El material restante lo divide, con mucha claridad, en: a) 44 *agrapha* carente de valor [5]; b) 13 *agrapha* con valor eventual, y c) 14 *agrapha* plenamente valiosos. En esta división Ropes, en conjunto, propende más a la moderación que a la severidad, de modo que la crítica, en muchos casos, debe ir más lejos de lo que él fue [6]. El que continuó después este trabajo crítico fue sobre todo Walter Bauer [7].

Para la primera edición de su recopilación, Resch tomó esencialmente su material de los llamados apócrifos del nuevo testamento (véase p. 28 s), de los padres de la iglesia (cf. p. 30 s), y también de la liturgia y de las constituciones eclesiásticas (véase p. 33). A estas fuentes se añadió una nueva desde finales del siglo pasado: los papiros. Entre los numerosos papiros sacados a la luz en Egipto, se encontraron, al lado de fragmentos de los escritos canónicos, palabras de Jesús hasta entonces no conocidas. De este modo se presentó a la investigación dedicada a los *agrapha* un material francamente sugestivo, como testimonia la abundancia de bibliografía que esos fragmentos de papiros produjeron. Describiremos con más detalle los cuatro fragmentos más antiguos encontrados en Egipto: los papiros Oxyrhynchus 1, 654 y 655, ya que en tiempos recientes han sido otra vez objeto de un estudio científico, y el Oxyryncus-Papyrus 840 a causa de la importancia de su contenido. Finalmente daremos una breve

5. N.º 85-127 + 98a en el apéndice.
6. Por eso creemos que de los 14 *agrapha* reconocidos por Ropes como plenamente válidos (n.º 141 a 154) deben quitarse 7. Sobre el n.º 141 (Hech 20, 35), véase p. 43; no existe el menor motivo para ver en el n.º 145 (Ap 16, 15) una palabra de Jesús mientras vivía en la tierra; a propósito del n.º 147 (Jerónimo, *In Ezech.* 18, 7 [MPL 25. 1845. 174 B]: «En el evangelio de los Hebreos, que los nazareos acostumbran a leer, se reputa como el peor de los criminales a "quien contrista el espíritu de su hermano"») hay que preguntarse si realmente se trata de unas palabras nuevas del Señor, y no más bien de una variante de Mt 18, 6: «quien escandaliza (o disgusta, n. Tr.) a uno de estos pequeños»; en lo que se refiere al n.º 149 (2 Clem 5, 2-4) cf. p. 48; referente al n.º 151 (Eusebio, *Theophania syr.* 4, 12 [E. Nestle, *Novi Testamenti Graeci Supplementum*, Leipzig 1896, 92]: «Yo me escojo los más dignos; los más dignos son aquellos que me ha dado mi Padre del cielo») la decisión es difícil, aunque lo más probable es que el logion sea post-joánico; respecto al n.º 152 (b. 'A.Z. 16b/17a) cf. p. 38 s; para el n.º 153 (Cod D sobre Mt 20, 28) véase p. 48. En el *Dictionary of the Bible*, Volumen extra, 343 s, el mismo Ropes redujo, en 1904, el número de *agrapha* válidos de 14 a 10. Suprime los números 145, 149, 150 (Orígenes, *In Mt*, t. XV, 14 [véase p. 54 s]) y el n.º 151.
7. W. Bauer, *Das Leben Jesu im Zeitalter der neutestamentlichen Apokryphen*, Tübingen 1909, 377-415.

noticia de los restantes papiros importantes para el estudio de los *agrapha*.

En 1897 dos investigadores ingleses, B. P. Grenfell y A. S. Hunt, en la excavaciones que se llevaban a cabo en Behnesa (Egipto central), en lugar que ocupaba la antigua Oxirinco, descubrieron el famoso Oxyrhynchus-Papyrus 1, una hoja de papiro escrita por los dos lados, de 15 x 9 cms., que por su tipo de escritura debió ser escrita alrededor, o muy poco después, del año 200 [8]. Dado que el reverso muestra una numeración, la hoja debe de proceder, no de un papiro de tipo volumen o rollo, sino de un papiro de tipo libro. En la hoja se encuentran ocho aforismos, de los que seis pueden ser descifrados con cierta seguridad [9]. Todos los aforismos están introducidos (lo cual fue una gran sorpresa) con las palabras: «Jesús dijo». Es decir: es una colección de palabras de Jesús. Esta colección tenía un doble aspecto. Del primer aforismo sólo había quedado la conclusión: «...y entonces podrás tratar de ver cómo sacas la astilla que está en el ojo de tu hermano»; lo que era exactamente (Lc 6, 42) (salvo algún cambio de colocación en las palabras). El sexto aforismo: «Dice Jesús: ni un profeta es bien recibido en su tierra, ni un médico cura a aquellos que le conocen» aparece como una forma más desarrollada de Lc 4, 24. Finalmente, el séptimo aforismo era una variante ampliada de Mt 5, 14b: «Dice Jesús: una ciudad que ha sido edificada en la cima de una alta montaña, y firmemente fundada, no puede ser destruida, ni tampoco quedar oculta». Por tanto estos tres aforismos ofrecen palabras ya conocidas de Jesús, aunque en forma algo distinta. Pero entre estas palabras conocidas de Jesús (¡y esto es lo asombroso!) se encuentran, como segundo, tercer y cuarto aforismo, tres palabras completamente nuevas de Jesús, de una de las cuales hablaremos en el apéndice [10].

En 1903 encontraron también los dos investigadores, igualmente en las ruinas de la antigua Oxirinco, dos nuevos papiros con palabras de Jesús. Uno de ellos, Oxyrhyncus-Papyrus 654, estaba sumamente deteriorado; solamente se había conservado la mitad izquierda de los renglones, de tal modo que no era posible una reconstrucción segura [11]. Se pueden reconocer seis palabras

8. B. P. Grenfell - A. S. Hunt, *Logia Jesou, sayings of our Lord from an early greek papyrus*, Oxford [2]1897, 5.
9. Véase el texto con un ensayo de reconstrucción en E. Klostermann, *Apocrypha* II, en KlT 8, [3]1929, 19; la traducción en J. Jeremias, *Oxyrhyncos-Papyrus* 1, en Hennecke[3] I, 66-70.
10. Véase p. 108-109 s.
11. El texto con los intentos de reconstrucción en E. Klostermann,

de Jesús, y en dos sitios aparece de nuevo la introducción: «Dice Jesús». Esos logia muestran, en lo que se puede leer, una fuerte tendencia gnóstica [12].

El otro papiro encontrado en 1903 (el Oxyrhyncus-Papirus 655) consta de varios pedazos de papiro. Los dos fragmentos mayores [13] eran en parte legibles, y reproducen varios logia; se puede reconocer una combinación de Lc 11, 52 y Mt 10, 16; un paralelo con el aforismo de los lirios del campo (Mt 6, 25.28.27; Lc 12, 22.27.25); y un diálogo gnóstico con los discípulos. En la página 99 s será estudiado un agraphon de este papiro.

Los tres papiros de Oxirinco, el 1, 654 y 655, habían ya dado pie a numerosos intentos de reconstrucción [14] y suscitado una amplia bibliografía [15], cuando el hallazgo del evangelio copto de Tomás [16] trajo la sorpresa de que contenía los logia de los tres papiros en lengua copta. El Oxyrhyncus-Papyrus 654 corresponde al comienzo del evangelio copto de Tomás, es decir, al prólogo y a los logia 1-7 [17]; el Papyrus 1 corresponde a los logia 26-33 y 77b, mientras que los fragmentos del Papyrus 665 tienen su paralelo en los dichos, en lengua copta, 36-39 [18]. Por lo tanto, los tres papiros de Oxirinco son fragmentos de una versión griega del evangelio de Tomás. A partir de ese momento los logia captos ofrecían la posibilidad de completar con cierta seguridad el texto griego, lleno de lagunas, de los papiros [19]. J. A. Fitzmyer [20] y

---

Apocrypha [3] II, 20-22; traducción en W. Schneemelcher, *Oxyrhynchos-Papyrus 654*, en Hennecke[3] I, 61-66.

12. Cf. como ejemplo, la discusión del logion 1 (prólogo y logion 1 del evangelio copto de Tomás), cf. p. 41 s.

13. Texto e intento de reconstrucción en E. Klostermann, *Apocrypha*, 23 s; traducción en W. Schneemelcher, *Oxyrhynchos-Papyrus 655*, en Hennecke[3] I, 70-72.

14. H. G. E. White ofrece la mejor visión de conjunto: *The sayings of Jesus from Oxyrhyncus*, Cambridge 1920.

15. J. A. Fitzmyer ofrece una extensa bibliografía acerca de los tres papiros en ThSt (1959) 556-560.

16. Sobre el evangelio copto de Tomás cf. p. 23 s.

17. La numeración de los logia del evangelio de Tomás no es ,desgraciadamente, unánime en las ediciones publicadas hasta ahora; nosotros seguimos la edición de Leiden (cf. la nota 1).

18. R. Kasser, *Les manuscrits de Nag Hamadi*: RevThPh (1959) 367, nota 1, ha conseguido reconstruir el fragmento del papiro 655, hasta entonces ilegible, e identificarlo con el logion 24 del texto copto.

19. El sentido material de las palabras de los logos coptos, comparado con el texto griego, presenta algunas diferencias. Esto permite concluir que el texto tuvo una historia y un desarrollo propios, entre esos dos estadios representados por los papiros y el evangelio copto de Tomás.

20. J. A. Fitzmyer, *The Oxyrhynchus logoi of Jesus and the Coptic Gospel according to Thomas*: ThSt (1959) 505-560.

O. Hofius [21] han comparado minuciosamente las versiones griega y copta entre sí, ofreciendo un ensayo de reconstrucción del texto griego [22]. Ambos parten para ello del supuesto de que hay que considerar el texto copto como la traducción de una versión griega. En cambio G. Garitte ha intentado probar [23] que los logia griegos son «re-traducciones» del copto. Sin embargo, este intento no ha tenido éxito a pesar de las agudas observaciones hechas por Garitte en algunos puntos particulares [24]. Sin perjuicio del hecho de que varios lugares de los papiros griegos no se pueden completar todavía con entera precisión, se pueden establecer con seguridad el contenido y el sentido de los logia. El evangelio de Tomás confirma el juicio, emitido ya más arriba sobre los fragmentos griegos, de que la mayoría de los logia aparecen como configuraciones secundarias o como variantes de palabras de los sinópticos ya conocidas.

El Oxyrhyncus-Papyrus 840 representa el hallazgo más importante de todas las excavaciones [25]. También hemos de agradecer este hallazgo a Grenfell y Hunt. En diciembre de 1905 encontraron en las ruinas de la antigua Oxirinco una hoja amarillenta, roída por los gusanos, de 8,5 x 7 cms. Procedía de un libro de pergamino, y en sus dos caras se encontraban 45 líneas con caracteres griegos. La escritura, microscópica, y a pesar de eso perfectamente legible, remite a la época del 400; el texto en sí es mucho más antiguo. Un librito de ese tamaño, 8,5 x 7 cms. no era cosa corriente en la antigüedad. ¿Por qué se fabricaron libros tan diminutos? La solución del enigma se la debemos a E. Preuschen [26]. Nos remite a un pasaje de un sermón de Juan Crisóstomo, predicado en Antioquía el año 387 (por tanto aproximadamente en el tiempo en que fue escrito ese librito), en el

---

21. O. Hofius, *Das koptische Thomasevangelium und die Oxyrhyncus-Papyri nr. 1, 654 und 655: EvTh (1960) 21-42; 182-192.*
22. Sobre la reconstrucción del Oxyrhyncus-Papyrus 655: véase ahora tambien R. A. Kraft, *Oxyrhyncus-Papyrus 655 Reconsidered: HThR (1961) 253-262.*
23. G. Garitte, *Les «logoi» d'Oxyrhynque et l'aprocryphe copte dit «évangile de Thomas»*, Muséon 1960, 151-172.
24. Cf. J. B. Bauer, *Das Thomas-Evangelium in der neusten Forschung*, en R. M. Grant - D. N. Freedman, *Geheime Worte Jesus: Das Thomas-Evangelium*, Frankfurt am Main 1960, 182-205, especialmente 185 s; A. Guillaumont, *Les logia d'Oxyrhynques, sont-ils traduits du copte?*, Muséon 1960, 325-333; E. Haenchen, *Literatur zum Thomasevangelium:* ThR (1961) 147-178, especialmente 157-160.
25. El texto se halla en H. B. Swete, *Zwei neue Evangelienfragmente*, en KIT 31, 1908, 1924, 3-9. Cf. en p. 56 bibliografía sobre el papiro.
26. E. Preuschen, *Das neue Evangelienfragment von Oxyrhyncos:* ZNW (1908) 1-11.

que dice: «¿No ves como las mujeres y los niños pequeños se cuelgan al cuello libros de los evangelios, a modo de amuleto, y lo llevan consigo a donde quiera que van?» [27]. Así pues, en una pequeña ciudad del Egipto medio, alrededor del año 400, una egipcia cristiana compra en el mercado (nos lo podemos imaginar así concretamente) un librito de pergamino que ha de servir para defender a sus hijos o a sí misma contra los malos espíritus, y después de más de un milenio y medio, unos arqueólogos encuentran una página de ese librito, lo descifran y tropiezan con una historia referente a Jesús totalmente desconocida e impresionante [28].

Más tarde salieron a la luz algunos otros papiros con palabras de Jesús. H. I. Bell y T. C. Skeat publicaron en el año 1935 fragmentos de un evangelio desconocido que presentaba rasgos joánicos: el *Papyrus Egerton 2* [29]. En él se encuentran dos palabras de Jesús no conocidas [30]. Grenfell y Hunt, a quienes debemos el Oxyrhyncus-Papyrus 1, 654, 655 y 840, publicaron también los restos de un libro de papiro procedente de comienzos del siglo IV: el Oxyrhyncus-Papyrus 1224 [31]. A este papiro pertenece el agraphon que estudiamos en la p. 99. También contienen agrapha el *Oxyrhyncus-Papirus 1081* [32], que pertenece a la obra gnóstica titulada *Sophia Jesu Christi* [33], y el *Fragmento de evangelio del «Papiro copto de Estrasburgo»* [34].

Si el hallazgo de los escasos fragmentos de papiros que acabamos de mencionar representó un suceso capaz de causar sensación [35], con más razón se podrá decir del descubrimiento de toda una biblioteca de manuscritos coptos, que tuvo lugar el año

27. Juan Crisóstomo, *Homilia de statuis XIX 4 ad pop. Ant.* (MPG 49 [1862] 196). Otros testimonios en E. Nestlé, *Evangelien als Amulet am Halse und am Sofa*: ZNW (1906) 96.

28. Véase esta historia, así como otro *agraphon*, en p. 56 s y 107 s.

29. H. I. Bell - T. C. Skeat, *Fragments of an unknown gospel*, London 1935. Véase también a este respecto G. Mayeda, *Das Leben-Jesu-Fragment Papyrus Egerton 2 und seine Stellung in der urchristlichen Literaturgeschichte*, Bern 1946. J. Jeremias, *Unbekantes Evangelium mit johanneischen Einschlägen (Pap. Egerton 2)*, en Hennecke³ I, 58-60.

30. Sobre el juicio que merecen, véase p. 48 s.

31. El texto se halla en E. Klostermann, *Apocrypha* II, KlT 8, 26.

32. Texto en E. Klostermann, *Apocrypha*, 25.

33. H. - Ch Puech, *Les nouveaux écrits gnostiques découverts en Haute-Egypte*, en *Coptic studies in honor of W. E. Crumm*. Bulletin og the Byzantine Instituye II, Boston 1950, 91-154, especialmente 98, nota 2. Sobre *Sophia Jesu Christi*, véase C. - Ch. Puech, en Hennecke³ I, 168-173.

34. Sobre este punto, W. Schneemelcher, *Evangelienfragmenten des Strassburger koptischen Papyrus*, en Hennecke³ I, 155-157.

35. No contienen ningún *agrapha* ni el llamado fragmento de Fajjum, que es evidentemente una versión secundaria de Mc 14, 27.29 s, ni el Papyrus

1945 (o 1946) en el Alto Egipto [36]. En los alrededores de la antigua ciudad de Chenoboskios, en el lado este del Nilo frente a la aldea de Nag Hamadi, se encontraron en un cántaro trece códices de papiro con un total de 44 escritos gnósticos, algunos de los cuales están repetidos [37]. Esos escritos, que en su mayor parte hay que recensionarlos entre los apócrifos neotestamentarios, eran totalmente desconocidos hasta la fecha, salvo raras excepciones. Algunos de los escritos publicados (y también algunos de los no publicados, como puede deducirse del título) contienen *agrapha*. El llamado *evangelio de la verdad*, que fue la primera obra publicada (1956) frustró esas esperanzas; en efecto: se hizo patente que el título dado a aquel escrito (en realidad transmitido sin título) era equivocado, ya que no se trataba de un evangelio [38], sino más bien de una homilía que pretendía desvelar perfectamente la verdad del evangelio [39]. Asimismo, los escritos (titulados por Schenke) *De la esencia de los Arcontes* y *Del origen del mundo*, son escritos doctrinales puramente gnósticos, y no contienen ningún *agrapha;* tampoco se ponen en labios de Cristo glorificado. Caso contrario es el *apócrifo de Juan*, redactado en sus partes esenciales como una revelación del Glorificado [40]. El *evangelio de Felipe*, que no es idéntico al escrito del mismo nombre citado por Epifanio [41], representa «una especie de florilegio de pensamientos y sentencias gnósticas» [42], que, sin embargo, en su mayor parte,

Cairensis 10, 735, que presenta el anuncio del nacimiento de Jesús y la huida a Egipto, pero no palabras de Jesús. A propósito de los dos fragmentos véase la disertación de W. Schneemelcher, en Hennecke³ I, 73 s.

36. De la bibliografía en torno a ese descubrimiento, que promete ser tan abundante como la publicada en torno a los textos de Qumrán, mencionaremos solamente la descripción, que sobre la historia del hallazgo así como sobre su carácter y algunos de los escritos, realiza W. C. van Unnik, *Evangelien aus dem Nilsand*, Frankfurt am Main 1960. Más bibliografía puede verse allí, y también en H.-Ch Puech, en Hennecke³ I, 161 s.

37. Si se cuentan separadamente los escritos repetidos, se llega al número de 49.

38. El nombre de *Evangelio de la verdad* fue tomado por los editores de las primeras palabras de aquel escrito sin título, y las tuvieron equivocadamente como tal.

39. Notado por primera vez por W. C. van Unnik, *Het kortgeleden ontdekte «Evangelie der Waarheid» en het Nieuwe Testament*, Amsterdam 1954, 86 s.

40. Lo mismo se puede decir de la *Sophia Jesu Christi* todavía no publicada hasta la fecha, pero conocida ya por el Berliner Papyrus 8502 (cf. H.-Ch. Puech, en Hernnecke³ I, 168-173).

41. *Epifanio, Panar. haer.* 26, 13, 2f (pp. 292-313 ss, Holl [GCS 25]).

42. H.-M.Schenke, *Das Evangelium nach Philippus*, en J. Leipoldt-H.-M. Schenke, *Koptisch-gnostische Schriften aus den Papyrus-Codices von Nag Hamadi. ThF 20,* Hamburg-Bergstedt 1960, 33.

no son presentadas como palabras del Glorificado; con todo se encuentran aisladamente nuevos agrapha en los dichos n.º 18, 26, 34, 54, 55, 57, 69 y 97 [43].

El texto más importante para el estudio de los *agrapha* es el *evangelio de Tomás* [44]. No se trata en ese escrito de un evangelio de carácter narrativo, sino de una colección de logia de Jesús (según la numeración de Leiden son 114 logia; y según la de Leipoldt 112 ó 113); esta colección es la más numerosa, fuera de la tradición neotestamentaria canónica. Además de muchas palabras ya conocidas por los sinópticos (citadas con gran libertad), contiene también los textos del Oxyrhyncus-Papyrus 1, del 654 y del 655. También el logión n.º II, 1, estudiado más adelante en las pp. 71 s, y del que Orígenes era hasta ahora el testigo más antiguo, es corroborado por el evangelio de Tomás. A su lado se encuentran muchos otros agrapha, hasta ahora desconocidos, que necesitan un examen crítico. Los primeros trabajos a este respecto han sido realizados por J. B. Bauer [45] y C.-H. Hunzinger [46]. Este llevó a cabo el intento de demostrar que dos parábolas del evangelio de Tomás eran auténticas parábolas de Jesús: la del asesino (logion 98), y la del gran pez (logion 8). J. B. Bauer analiza en sus trabajos algunos logia y llega a la conclusión de que alguno que otro logion, con reservas, «se puede considerar como auténticamente proveniente de Jesús» *(als genuin jesuanisch)* [47]. A pesar del gran cuidado con que procede Bauer, y de las cuidadosas formulaciones con las que presenta la legitimidad de algunos logia sólo como posible, el análisis de los aforismos coptos debe realizarse todavía más críticamente [48]. Por esta

43. Numeración de Schenke. No cabe duda de que hay que entender algunas de esas palabras como pronunciadas por el Jesús terrenal (por ejemplo, los dichos 26, 34, 54 y 55). Se puede suponer que los *agrapha* del evangelio de Felipe provienen de un evangelio apócrifo.

- 44. Fotocopia del manuscrito copto en Pahor Labib, *Coptic Gnostic Papyri in the Coptic Museum at old Cairo* I, Cairo 1956, lámina 80, lín. 10; lámina 99, lín. 28. Edición del texto copto *Evangelium nach Thomas*, editado y traducido por A. Guillaumont - H.-Ch. Puech - G. Quispel - W. Till - Yassah 'Abd al Masih, Leiden 1959.

45. J. B. Bauer, *De agraphis genuinis Evangelii sec. Thomam coptici*: VD (1959) 129-146; *Echte Jesusworte?*, en W. C. van Unnik. *Evanjelien aus dem Nilsand*, 108-150.

46. C.-H. Hunzinger, *Unbekannte Gleichnisse Jesu aus dem Thomas-Evangelium*, en *Judentum Urchristentum Kirche*. Festschrift für J. Jeremias (BZNW 26), Berlin 1960, 209-220.

47. J. B. Bauer, *Echte Jesusworte?*, 122.

48. Así, por ejemplo, el logion 51 estudiado por Bauer en la p. 127 s: «Sus discípulos le dijeron: ¿En qué día tendrá lugar el reposo de los muertos?, y, ¿en qué día vendrá el nuevo mundo? El (Jesús) les respondió: El (descanso)

razón no nos hemos podido persuadir a incluir en el grupo i (cf. p. 51 s) a ninguno de los *agrapha* contenidos en el evangelio de Tomás, fuera de la parábola del gran pez, y del logion estudiado en las pp. 71 ss. Así pues, a pesar de la abundancia de *agrapha* que contiene el evangelio copto de Tomás, el resultado en cuanto a valores aprovechables es relativamente escaso. Queda por ver lo que los textos todavía no publicados de Nag Hamadi aportarán al estudio de los *agrapha*. Así, por ejemplo, las primeras noticias provisionales sobre el apócrifo de Santiago, que se halla al comienzo del Códex Jung, nos señalan que ese escrito (que relata una conversación del Señor resucitado con Santiago y Pedro) contiene algunos *agrapha* interesantes [49].

III. Visión de conjunto de las fuentes

La siguiente visión de conjunto de las fuentes abarcará también aquellos agrapha que fueron redactados como palabras del Señor glorificado, pues los textos, en los que encontramos palabras de Jesús extraevangélicas, no tienen con frecuencia interés en distinguir entre palabras del Jesús terrenal y del glorificado.

1. *El nuevo testamento*

La fuente más antigua que nos da a conocer palabras de Jesús no contenidas en nuestros cuatro evangelios es el mismo nuevo testamento. En las palabras de despedida dirigidas por Pablo en Mileto a los presbíteros de Efeso, según el relato de los Hechos de los apóstoles, cita como conclusión una palabra de Jesús que no se encuentra en los evangelios (20, 35) [50]. Si en este caso concreto es indiscutible la existencia de un *agra-*

---

que esperáis ya ha venido, pero vosotros no le conocéis» tiene un acentuado carácter gnóstico; hace a Jesús representante de la concepción, tantas veces atestiguada en la gnosis, de que el descanso, la paz (ἀνάπαυσις) se comunica ya en la actualidad *al* hombre, que ya ha recibido el conocimiento (γνῶσις). Es muy difícil el ver, con Bauer (p. 126 s), una palabra auténtica de Jesús en el logion 58: «Jesús dijo: feliz el hombre que ha sufrido; él ha encontrado la vida», a pesar de su parentesco con Sant 1, 12 y 1 Pe 3, 14, porque tanto para la palabra ζωή usada en sentido absoluto, como para πάσχειν designando el sufrimiento de los perseguidos, no existe un equivalente en arameo. Cf. G. Dalman, *Jesus-Jeschua*, Leipzig 1922, 117 s (para πάσχειν); y *Die Worte Jesu* I, Leipzig ²1930, 129 s (para ζωή).

49. W. C. van Unnik, *Evangelien aus dem Nilsand*, 93-101; H. Ch. Puech, en Hennecke³ I, 245-249.

50. Sobre su valoración, véase p. 43.

phon, en otros lugares no está la cosa tan clara. En sus cartas el apóstol Pablo remite, cuatro o cinco veces, a palabras de Jesús: Rom 14, 14 (?); 1 Cor 7, 10; 9, 14; 11, 24 s; 1 Tes 4, 16 s. Los tres pasajes de la 1 Cor tienen correspondencias en los evangelios: Mc 10, 11 s par; Mt 10, 10 par; Mc 14, 22-24 par; por lo tanto, no son *agrapha*.

Por el contrario es más difícil juzgar a Rom 14, 14: «Sé, y estoy convencido en el Señor Jesús, de que nada es impuro en sí mismo; solamente para aquellos que creen impura una cosa, para ésos es impura». En primer lugar, es muy probable, aunque no plenamente seguro, que el giro: «Sé, y estoy persuadido en el Señor Jesús» indica que Pablo va a introducir unas palabras del Señor. Si tal es aquí el caso (y en su favor está, entre otras cosas, que Pablo se refiere frecuentemente, incluso sin hacer mención expresa, a palabras de Jesús), entonces se está refiriendo evidentemente a las palabras transmitidas en Mc 7, 15, par: «Nada de lo que entra de fuera en el hombre le hace impuro; sino lo que sale del hombre, eso es lo que le hace impuro» [51]. Sólo que en Pablo la idea abarca mucho más: si Jesús decía (Mc 7, 15) que no mancha al hombre la comida impura, sino las palabras impuras, en Pablo leemos que la impureza no está en las cosas, sino en la valoración que el hombre hace de ellas. En virtud de lo cual se hace muy difícil el ver en Rom 14, 14 una palabra independiente del Señor; más bien se trata solamente del intento de formular en su significación fundamental la primera mitad negativa de la expresión de Jesús (Mc 7, 15a).

De modo distinto podría juzgarse 1 Tes 4, 16 s. Ciertamente en este pasaje se pueden advertir puntos de contacto con la descripción de la parusía de Mt 24, 30 s, sin embargo en este caso las divergencias son tan considerables que hemos de ver 1 Tes 4, 16 s como una palabra independiente de Jesús, es decir: como un *agraphon* [52].

Al lado de las palabras del Jesús terrenal, se encuentra también en el nuevo testamento palabras del Señor glorificado. Pablo, el primero de todos, da cuenta de unas palabras del Glorificado que le fueron comunicadas como respuesta a su plegaria (2 Cor 12, 9) [53]. Además, fuera de los evangelios, hay que men-

---

51. Así piensa también C. H. Dodd, *Gospel and law*, Cambridge 1951, 49. ΕΝΝΟΜΟΣ ΧΡΙΣΤΟΥ, en *Studia Paulina in honorem J. de Zwaan*, Haarlem 1953, 106.
52. Véase la discusión en p. 84 s.
53. En el caso de que aquí *kyrios* signifique Jesús (y no Dios), como parece probable.

cionar las instrucciones del Resucitado a sus discípulos, sacadas de los Hechos de los apóstoles (Hech 1, 4 s, 7 s), y las palabras que el Señor glorificado dirige a Ananías y Pablo en el relato de la conversión de éste (Hech 9, 4-6. 10-12. 15 s; 22, 7 s. 10; 26, 14-18). Más adelante los Hechos de los apóstoles relatan las palabras dirigidas por el Señor glorificado, en visiones, a Pablo (Hech 18, 9 s; 22, 18. 21; 23, 11). Finalmente, también deben reseñarse aquí las palabras del hijo del hombre dirigidas a Juan, que se encuentran en el Apocalipsis (Ap 1, 11. 17-20; 16, 15; 22, 10-16. 18-20), y las siete cartas dictadas por él a Juan (Ap 2 y 3), dirigidas a las comunidades de Asia Menor.

2.   *Adiciones y variantes en los manuscritos de los evangelios*

Como segunda fuente de los *agrapha* hay que mencionar los antiguos manuscritos del nuevo testamento. En algunos de ellos encontramos» aisladamente palabras de Jesús, que faltan en la mayoría de los manuscritos.

En primer lugar debemos mencionar una historia referente a Jesús, tomada del evangelio de Juan, y dos aforismos de Jesús, tomados del evangelio de Lucas, que originalmente no formaban parte de los susodichos evangelios, pero que en los antiguos manuscritos, y en las versiones antiguas y modernas de la Biblia se extendieron de tal manera, que llegaron a ser una parte más del correspondiente evangelio. Se trata de la perícopa de la mujer adúltera (Jn 7, 53-8, 11) [54]; de la plegaria de Lc 23, 34 a (pero Jesús dijo: «Padre, perdónales porque no saben lo que hacen»), que falta en una parte importante de testimonios [55] y que por esta razón podría ser una añadidura basada en una tradición antigua; y finalmente de la adición que tienen varios manuscritos [56], como v. 55 b y 56 a, tras Lc 9, 55 a: «(55: Pero él se volvió y les respondió) y dijo: ¿no sabéis de qué espíritu sois [57]? 56 a: pues [58] el hijo del hombre no ha venido a perder las almas de los hombres [59], sino a salvarlas [60]». También hay que situar aquí la larga conclusión, no auténtica, de Marcos (Mc 16, 9-20).

---

54.   Véase el excursus sobre la historia del texto de Jn 7, 53-8, 11en W. Bauer, *Das Johannesevangelium* (HNT 6) Tübingen ³1933, 115-117.
55.   B D* W θ a sy-sin sa.
56.   ℜ θ lat sy-cur; también Marcion.
57.   D tiene también esta frase.
58.   «pues» falta en θ y en muchos manuscritos tardíos.
59.   «de los hombres» falta en el lat sy-cur.
60.   Sobre el juicio que merece esta adición, véase p. 51.

Fuera de los textos que acabamos de mencionar se encuentran también otras adiciones en los manuscritos de los evangelios, que sin embargo no han conseguido entrar en nuestras traducciones de la Biblia. Mencionaremos algunos ejemplos:

En lugar de Lc 6, 5 el Codex Beaze Cantabrigiensis (D) presenta una pequeña historia concerniente a Jesús, de la que nos ocuparemos en la segunda parte de este trabajo (cf. p. 67 s). En Lc 10, 16:

> Quien a vosotros oye, a mí me oye,
> y quien os rechza, a mí me rechaza;
> y quien me rechaza, rechaza a aquel que me envió,

leemos en algunos manuscritos [61] como cuarto verso la siguiente conclusión:

> y quien a mí me oye, oye al que me envió [62].

De modo semejante el manuscrito, en sirio antiguo, del evangelio del Sinaí (sy-sin) presenta en Jn 12, 44 una ampliación de las palabras de Jesús transmitidas por la tradición:

> Pero Jesús gritó diciendo: el que no se asemeje a mí, no se asemeja al que me envió, y el que cree en mí, no cree en mí, sino en aquel que me envió [63].

Finalmente nos referiremos aún a unas palabras de Jesús glorificado: el llamado Freer-Logion. Se trata de una interpolación en la conclusión apócrifa mencionada más arriba (Mc 16, 9-20; en este caso detrás del v. 14), atestiguada solamente por el Codex Freerianus (4/5 Jn). En este texto los discípulos hacen responsable a Satán de su incredulidad ante el testimonio de la resurrección de Jesús, y piden al Resucitado la inmediata revelación de su justicia. A lo que Cristo responde que la dominación de Satán está llegando a su fin, pero que antes de la llegada de la parusía, han de cumplirse todavía signos terribles, y añade la exhortación a la penitencia [64].

---

61. θ φ it sy-cur. En D la frase está en lugar de la tercera línea.
62. Véase el comentario en la p. 46.
63. A. Smith Lewis, *The old syriac gospels or evangelium da-Mepharreshê*, London 1910, 249. La adición no es registrada por F. C. Burkitt, *Evangelion da-Mepharreshê* I, Cambridge 1904. Sobre el juicio que merece esa adición, véase la p. 46.
64. A propósito del Freer-Logion véase J. Jeremias en Hennecke[3] I, 125 s. E. Helzle, *Der Schluss des Markusevangeliums (Mk 16, 9-20) und das*

3. *Evangelios apócrifos, y otros escritos asimismo apócrifos*

    a) Evangelios apócrifos

    Como ya dijimos anteriormente junto a los evangelios canó-
nicos, y después de ellos, surgieron toda una serie de otros evangelios, que fueron más tarde declarados apócrifos por la iglesia.
Algunos de entre ellos pertenecen a un género literario *(typus)*
vinculado al de los evangelios sinópticos. De este tipo de escritos proceden los fragmentos del Oxyrhncus-Papyri 840 (cf. p. 20 s),
del 1224 (cf. p. 21 s) y el Papyrus Egerton 2 (cf. p. 21) que no
pueden compaginarse con ninguno de los evangelios que hoy
conocemos; pero sobre todo hay que contar en este punto con
dos evangelios judeo-cristianos, a saber: el *Evangelio de los nazarenos* y el *Evangelio de los ebionitas*[65], en los que precisamente,
aun en las palabras de Jesús, había entrado mucho material ex-
tracanónico[66]. No es posible clasificar el tercer evangelio judeo-
cristiano, el *Evangelio de los hebreos*, dado que la reconstrucción
es muy poco segura[67].

    El *evangelio de Pedro* está ciertamente muy próximo, en lo
que se refiere a la forma literaria, de los sinópticos, pero muy
alejado por el contenido, dirigido por completo a una demostra-
ción apologética de la resurrección de Jesús[68]. En el fragmento
que se conserva Jesús habla solamente dos veces, y muy brevemente (vv. 19 y 42), siendo especialmente notable el grito de la
cruz: «Fuerza mía, fuerza mía, ¡tú me has abandonado!» (v. 19)[69].
El *evangelio copto de Tomás*, por estar redactado en forma de una
colección de logia, solamente de lejos recuerda algo a los sinópticos, pero sin embargo se halla más cercano a ellos que la mayoría de los demás evangelios apócrifos conocidos por cuanto
que tiene en común con ellos un mismo patrimonio tradicional,
si bien con cambios de sentido y adulteraciones manifiestas[70].
Los escasos fragmentos que existen del *Evangelio griego de los*

Freer-Logion (Mk 16, 14 W), ihre Tendenzen und ihr gegenseitiges Verhältnis.
Eine wortexegetische Untersuchung, Tübingen 1959 (cf. ThLZ 1960, col.
470-472).
    65. Sobre esto Ph. Vielhauer, *Judenchristliche Evangelien*, en Hennecke[3]
I, 75-108, esp. 75-104.
    66. Véanse pp. 38, 47, 53 s, 97 s.
    67. Sobre el *Evangelio de los hebreos*, cf. Ph Vielhauer, *o. c.*, 104-108.
    68. Sobre esto Chr. Maurer, *Petrusevangelium*, en Hennecke [3] I, 118-124.
    69. Sobre esto, cf. p. 43.
    70. Cf. la discusión del evangelio de Tomás, p. 22 s.

egipcios no permiten caracterizarle con mayor precisión [71]; las palabras del Señor, no canónicas que se encuentran en él tienen una indudable tendencia ascético-gnóstica.

La mayoría de los *evangelios de tipo gnóstico* [72] apenas tienen nada en común, por su forma literaria, con los evangelios canónicos. Propiamente hablando sólo tienen el nombre de «evangelios» porque quieren proporcionar como «mensaje alegre» la sabiduría de la revelación, la cual se pone la mayoría de las veces en boca del Señor resucitado en forma de largos discursos. Solamente a causa de su nombre de «evangelios» los mencionamos aquí, ya que, por su esencia, pertenecen al sexto grupo (f) de las fuentes descritas en este libro [73]. De estos textos designados como «evangelios», el evangelio copto de Felipe lo mencionamos ya en la visión de conjunto sobre la historia de la investigación y estudio de los *agrapha* (cf. p. 22 s). También pertenecen a este grupo los evangelios de María y de Manes; en este último caso es especialmente difícil distinguir qué *aprapha* provienen del evangelio propio de Manes, cuáles de otros escritos maniqueos (cf. p. 34), y cuáles finalmente de los evangelios aceptados por él.

Algunos de los evangelios apócrifos tienen en común con los gnósticos la nota de que complementan determinados períodos de la historia de Jesús, y en parte los amplían. Si en los evangelios gnósticos se trata del tiempo transcurrido entre la resurrección y la ascensión al cielo, en estos otros se trata más bien de la *infancia*, o de la *pasión*. Las numerosas palabras que Jesús pronuncia en ellos no tienen carácter gnóstico, ni tampoco carácter sinóptico, sino que a una con la trama de la narración, muestran que nos encontramos ante un género literario *(typus)* distinto: la literatura edificante de carácter legendario. Se han de mencionar aquí sobre todo el relato de la infancia atribuido a Tomás, el protoevangelio de Santiago, el evangelio árabe de la infancia, el evangelio del pseudo-Mateo, el evangelio de Nicodemo y el ciclo literario de Pilato dependiente de él, así como el ciclo literario de Bartolomé [74].

---

71. Sobre este punto: W Schneemelcher, *Aegypterevangelium*, en Hennecke[3] I, 109-117
72. H.-Ch. Puech, *Gnostische Evangelien und verwandte Dokumente*, en Hennecke[3] I, 158-271.
73. Cf. p. 45 s.
74. Véanse las presentaciones correspondientes en Hennecke[3] I, especialmente los capítulos VIII: «Evangelios de la infancia», y X: «Acciones y pasión de Jesús».

b) Otros escritos apócrifos

Al lado de los evangelios apócrifos de los que hemos hablado, existen algunos otros escritos apócrifos que contienen *agrapha*, como por ejemplo la *Leyenda de Abgar*, en la que se da cuenta de un intercambio epistolar entre Jesús y el rey de Edessa, Abgar [75]; y la *Epistula apostolorum*, conteniendo el diálogo que tiene Jesús con los dicípulos después de su resurrección [76]. Se encuentran además *agrapha* en la *Epístola apócrifa de Tito* [77], conservada sólo fragmentariamente; en algunos *Hechos de los apóstoles apócrifos* [78], como por ejemplo en las *Actas* de Felipe, Tomás, Juan y Pedro [79]; en la *Vida de Juan el bautista según Serapión* [80]; así como en el apócrifo *Apocalipsis de Pedro* [81]. Finalmente hay que enumerar en este grupo la *Historia de José el carpintero*, que contiene el relato que se supone habría hecho Jesús a sus discípulos, contando la vida y muerte de su padre José, cuando en el monte de los olivos les contó su propia vida [82].

4. *Padres de la iglesia (hasta el año 500)*

Una fuente muy caudalosa, en lo que se refiere a los *agrapha*, son los escritores cristianos primitivos. Por lo general, tanto mayor será nuestra confianza en la tradición que nos transmite, cuanto más cercano se halle el escritor a los tiempos de Jesús; sin embargo, el ejemplo del testigo más antiguo: Papías (cf. p. p. 43 s) muestra que ese principio de valoración no se puede aplicar sin una crítica previa. En la enumeración de los padres de la iglesia que nos han transmitido *agrapha* nos limitamos al período de tiempo que llega hasta el año 500; no teniendo en cuenta aquellas palabras del Señor que juzguemos han sido tomados de los evangelios apócrifos.

Se encuentran *agrapha* en los siguientes escritores cristianos

---

75. Sobre este punto, W. Bauer, *Abgarsage*, en Hennecke[3] I, 325-329.
76. Cf. H. Duensing, *Epistula Apostolorum*, en Hennecke[3] I, 126-155.
77. Cf. W. Schneemelcher, en *ibid.*, 115 s.
78. Los textos en: *Acta apostolorum apocrypha*, ed. R. A. Lipsius-M. Bonnet, Leipzig 1891-1903, reimpresión Darmstadt 1959.
79. Estudiamos un *agraphon* del *Actus Petri cum Simone (Acta apostolorum apocrypha* I, 45-103) en p. 94 s.
80. Cf. O. Cullmann, en Hennecke[3] I, 304-310 s.
81. Cf. H. Weinel, *Offenbarung des Petrus*, en Hennecke[2], 314-327.
82. S. Morenz, *Die Geschichte von Joseph dem Zimmermann* (TU 56), Berlin-Leipzig 1951.

primitivos [83] (los dos *agrapha* no incluidos por Resch y Ropes han sido señalados con un asterisco en las notas):

Papías (hacia el 130) [84]
Segunda carta de Clemente (antes del 150) [85]
Justino (muerto hacia el 165) [86]
Ireneo (muerto hacia el 200) [87]
Clemente de Alejandría (muerto antes del 215) [88].
Tertuliano (aproximadamente 160-220) [89]
Hipólito (muerto en el 235) [90]
Orígenes (muerto hacia el 253-254) [91]
Tratado del pseudo-Cipriano, *De duobus montibus* (antes del 240) [92]
Tratado del pseudo-Cipriano *De aleatoribus* (alrededor del 300) [93]
Lactancio (alrededor del 300) [94]
Alejandro de Alejandría (313-345) [95]

83. A continuación ofrecemos una clasificación crítica del material tomado por Resch de la literatura patrística, comparándola con el examen de los testimonios hecho por Ropes. En nuestra lista solamente hemos retenido aquellos *agrapha* que son considerados o señalados por los correspondientes padres de la iglesia como palabras del Señor.

84. Ireneo, *Adv. haer.* V 33, 3 s; cf. Hipólito, *In Dan.* IV 60.

85. 2 Clem 5, 2.

86. *Diálogo con Trifón* 35, 3 (cf. Pseudoclem, *Hom.* XVI 21, 4; Lactancio, *Div. inst.* IV 30, 2); 38, 2; 47, 5; 51, 2; *De resurrectione* 9; *Apología* I 15, 8 no es ningún *agraphon*, como ha probado E. Klostermann en ZNW (1905) p. 105 s; cf. *Apocrypha* III, ²1911, 6 nota.

87. *Adv haer.* V 36, 2.

88. *Stromata* I, XXIV 158, 2 (cf. Orígenes, *Sel. in psalm.* 4, 4; Eusebio, *In psalm.* 16, 2); III, XV 97, 4; V, X 63, 7 (cf. Pseudoclem., *Homn* XIX 20, 1; en Teodoreto, *In psalm.* 65, 16, no se considera el logion como palabra del Señor, como demuestran los comentarios al Sal 24, 14); VI, VI 44, 3; *Quis dives salvetur* 37, 4. Sobre *Paedagogus* III, XII 91, 3 véase p. 43, nota 148.

89. *De baptismo* XX 2; *De idolatría* XXIII, 3. No es seguro si la palabra de *De oratione* XXVI 1, se considera como palabra del Señor; en el lugar paralelo de Clemente de Alejandría, *Strom.* I, XIX 94, 5 y II, XV 70, 5 no se la designa como *agraphon*.

90. *In Dam comm.* IV 60 (cf. Papías, en Ireneo, *Adv. haer.* V 33, 3 s).

91. *In Joh comm.* XIX 7 (cf. Pseudoclem; *Hom.* II 51, 1; Jerónimo, *Epist.* CXIX 11, 2; Sócrates, *Hist. eccles.* III, 16; *Vita S. Syncl.* 100). Selecta in psalm. 1141 C; cf. Clemente de Alej., *Strom.* I, XXIV 158, 2 par).

92. *De duobus montibus*, o *De montibus Sina et Sion* 13.

93. *De aleatoribus* 3.

94. *Divinae institutiones* IV 30, 2 (cf. Justino, *Dial.* 35, 3 par).

95. *En Teodoreto de Ciro (muerto hacia el 466), *Hist. eccl.* I 4, 45. Véase U. Holzmeister, *Unbeachtete patristische Agrapha:* ZKTh (1914 113-143, especialmente 134 s.

Eusebio de Cesárea (muerto el 339) [96]
Afraates (escribió en los años 337-345) [97]
Efrén (alrededor de 306-373) [98]
Libro de los grados sirio *(Liber graduum*, primera mitad del siglo IV) [99]
Dialogus de recta fide (siglo IV) [100]
Homilías pseudo-clementinas (entre 325 y 381) [101]
Simeón de Mesopotamia (final del siglo IV) [102]
Epifanio de Salamis (alrededor de 315-403) [103]
Jerónimo (alrededor de 347-420) [104]
Dídimo el ciego, de Alejandría (muerto hacia el 398) [105]
Sócrates (historiador de la iglesia, muerto después del 439) [106]

---

96. *In psalm. comm.* 16, 2 (MPG 23 [1857], 160 C; cf. Clemente de Alejandría, *Strom.* I, XXIV 158, 2 par).
97. *Demonstrationes* I 17; IV 16; XVI 8.
98. *Opera*, ed. Assemani I 30 E (Resch, n.º 169); I 140 D (Resch, n.º 170); II 232 (Resch, n.º 171); III 93 E (Resch, n.º 172; *Evangelii concordantis explanatio* XIV 24; XVII 1.
99. *El *Libro de los grados* sirio (ed. Kmosko [PS I 3]) contiene gran cantidad de *agrapha* que están todavía necesitados de una investigación y un análisis minucioso. No es posible dar cuenta completa de todo ese material en el corto espacio de nuestro trabajo, ya que debía ser precedida de una revisión de las numerosas citas evangélicas y extraevangélicas del *Liber graduum;* con todo citaremos algunas veces el *Libro de los grados* en nuestro trabajo, por ejemplo: *Serm.* III 3 = XV 4 (p. 89 s); X 5 (p. 45) XVI 12 (p. 44); XXIX 8 (p. 47).
100. *Dialogus de recta fide* (ed. van de Sande Bakhuyzen [GCS 4]) I 13 (cf. *Vita S. Syncl.* 63).
101. *Homilías pseudo-clementinas* (ed. Rehm [GCS 42]) II 17, 4 s (quizás una cita libre); II 51, 1 (=III 50, 2; XVIII 20, 4; cf. Orígenes, *In Joh.* XIX 7 parr.); III *50, 2 52, 2 53, 3 55, 2; XI 26, 2; XII 29, 1 (¡cf. la fórmula para hacer las citas en el epítome griego!) XVI 21, 4 (cf. Justino, *Dial.* 35, 3 par); XIX 2, 4.20, 1 (cf. Clemente de Alejandría, *Strom.* V, X 63, 7).
102. *Homilía* XII 17 (MPG 34 [1903], 568 D); XXXVII 1 (*ibid.* 749 D); no es seguro si considera *Hom.* XIV 1 (*ibid.* 569 D) como una palabra del Señor. Otro *agraphon* en H. Dörries; *Symeon von Mesopotamien* (TU 55, 1), Leipzig 1941, 224, nota 3.
103. *Panarion haeresium* (ed. Holl [GCS 25 31 37]) 23, 5, 5 (=41, 3, 2; 66, 42, 8; *Ancor.* 53, 4); 69, 44, 1 (=*Ancor.* 21, 2; cf. Didymus, *De trin.* III 22); 69, 53, 2; 80, 5, 4 (no es seguro si se considera como palabra del Señor). Sobre 34, 18, 13 = Ireneo, *Adv. haer.* I 20, 2, cf. ahora el aforismo 38 del evangelio copto de Tomás.
104. *Epistula CXIX ad Minervium et Alexandrum* (ed. Hilberg [CSEL 55]) 11, 2 (cf. Orígenes, *in Joh.* XIX 7 par.).
105. *De trinitate* III 22 (MPG 39 [1863], 917 C; cf. Epifanio, *Panar.* 69, 44, 1 par).
106. *Hist eccles.* III 16 (MPG 67 [1864], 421 C; cf. Orígenes, *In joh.* XIX 7 par).

Vita S. Syncleticae del pseudo-Atanasio (probablemente de finales del siglo v) [107].

5. Textos litúrgicos y ordenaciones eclesiásticas

También se encuentran algunos *agrapha* en los textos litúrgicos y en las disposiciones eclesiásticas de la iglesia primitiva. Hemos de registrar en este apartado, en primer lugar, dos amplificaciones del padrenuestro, así como una adición a la petición sexta, en la *liturgia de Alejandría* («...y no nos pongas en una tentación, que no podamos soportar») [108], y la doxología doble de la *Didajé* 8, 2 (antes del año 100 de.C.) [109]. También se encuentran algunos logia aislados en la Didajé 1, 5; en la *Didascalia siria* (siglo III), que en V, 14, 15 presenta una alocución simulada del Señor [110], y en las llamadas *Constitutiones apostólicas* (comienzos del siglo IV) [111].

6. Revelaciones e himnos gnósticos

Además de los escritos gnósticos ya mencionados, que llevan expresamente el nombre de evangelios, existen otros numerosos documentos de la gnosis cristiana, que ponen en labios de Cristo glorificado modos de ver las cosas y verdades reveladas de carácter gnóstico. Se puede constatar un cierto parentesco con el patrimonio de los sinópticos, teniendo siempre en cuenta que a menudo dichos evangelios sufren una transformación. Por lo demás, los *agrapha* obtenidos de esta manera son independientes de la tradición canónica. Escritos gnósticos de este tipo son: el

---

107. *Vita S. Syncleticae* 63 (MPG 28 [1887], 1525 A; cf. *Dial. de recta fide* I 13); 100 (MPG *ibid.*, 1549 B; cf. Orígenes, *In Joh.* XIX 7 par).
108. Resch, 85 (n.° 62).
109. Sobre la *Doxología* cf. p. 50-51.
110. Referencias según la numeración de F. X. Funk; *Didascalia et constituciones apostolorum* I, Paderborn 1905; con paréntesis cuadrados la paginación (y numeración lineal) de la edición siria realizada por M. D. Gibson (M. D. Gibson, *The Didascalia apostolorum in Syriac. Horae Semiticae* I, London 1903): *Didascalia syr.* II 3, 3 (p. 34, 14 s Funk [p. 35, 19 s Gibson]); V 14, 15-24 (p. 276, 16 s [p. 163 s]); V 14, 22 (una cita de sí mismo en la fingida alocución del Señor; p. 280, 13 s [p. 164]); VI 5, 2 (p. 310, 4 [p. 178]); VI 14, 4 (p. 342, 5 s [p. 190]); VI 18, 15 (p. 362, 17 s [p. 201]).
111. XXVI 2 (Th. Schermann, *Die allgemeine Kirchenordnung, frühchristliche Liturgien und kirchliche Uberlieferung*, en *Studien zur Geschichte und Kultur des Altertums*, supl., III, parte 1, Paderborn 1914, 32, 8 s.

Apócrifo de Juan [112], la *Sophia Jesu Christi*, el *Diálogo del Salvador*, *Libro de Tomás el Atleta*, la *Pistis Sophia*, los dos *Libros de Jeû*, la *Memoria apostolorum*, los fragmentos de una *Conversación con Jesús*, y las *Preguntas de María* [113]. A estos tratados estudiados por H.-Chr. Puech hay que añadir además, los *Excerpta ex Theodoto*, gnóstico valentiniano [114], el *Escrito del gnóstico Baruch* [115], así como los escritos maniqueos *Kephalaia* [116], el *Libro de los salmos* [117] y el *Libro de los misterios* [118].

Las palabras pronunciadas por Jesús en el *Himno naaseno*, que se encuentra en el llamado *Sermón naaseno* transmitido por Hipólito, constituyen uno de los *agraphon* más impresionante de cuantos provienen del ámbito de la gnosis [119]. Es digno de notarse que no se trata, como es costumbre en los textos gnósticos, de palabras de Jesús glorificado, sino de palabras de Jesús preexistente en el Padre. El himno describe en primer lugar el destino del alma que, abismada en la materia y acosada por la muerte, busca en vano una salida del laberinto. Luego continúa:

> Entonces dijo Jesús: Mira, Padre,
> ese ser afligido;
> cómo, lejos de tu aliento,
> va errante, lleno de aflicción, por la tierra
> queriendo huir del terrible caos,
> pero no sabe por dónde es la subida.
> Mándame a mí, Padre, para salvarle;
> que yo descienda,
> con los sellos en las manos,
> que atreviese todos los eones,

---

112. Todavía no puede establecerse con seguridad si el apócrifo de Santiago (cf. p. 22 s) encontrado en Nag Hamadi ha de contarse en este grupo de revelaciones gnósticas; véase W. C. van Unnik, *Evangelien aus dem Nilsand*, 1960, 93-101, y H.-Ch. Puech, en Hennecke³ I, 245-249. Los pocos pedazos del fragmento de evangelio del papiro copto de Estrasburgo (cf. p. 21-22) no permiten determinarlo con más precisión.
113. Descripción y bibliografía sobre estos escritos, en H.-Ch. Puech, *Gnostiche Evangelien und verwandte Dokumente*, en Hennecke³ I, 158-271.
114. O. Stählin, *Excerpta ex Theodoto* (GCS 17), Leipzig 1909; R. P. Casey, *The excerpta ex Theodoto of Clement of Alexandria* (StD), London 1934; F. Sagnard, *Clément d'Alexandrie, extraits de Théodote. Texte grec*, introduction, traduction et notes (SC 23), Paris 1948.
115. W. Völker, *Quellen zur Geschichte der christlichen Gnosis* (SQS N. F. 5), Tübingen 1932, 27-33.
116. H. J. Polotsky-A. Böhlig-H. Ibscher, *Kephalaia* I, Stuttgart 1940.
117. C. R. C. Allberry-H. Ibscher, *A Manichaean Psalm-Book* II, Stuttgart 1938.
118. Cf. A. Adam, *Texte zum Manichäismus* (Klt 175), Berlin 1954, 8-10.
119. Hipólito, *Refutatio* V, 10, 2.

que abra todos los misterios,
que muestre la esencia divina,
y el secreto del camino santo
—al que llamo gnosis— anuncie [120].

Aquí se pone en labios de Cristo preexistente la doctrina gnóstica de la salvación de las almas: a través del conocimiento de su origen, el alma perdida regresa del ámbito de la muerte al mundo celestial.

Finalmente entre los himnos gnósticos, en los que habla el mismo Salvador, hay que mencionar, al lado del *Himno naaseno*, las *Odas de Salomón* [121]; algunas de ellas contienen palabras de Cristo glorificado (por ejemplo, la oda 31, 6 s).

7. El talmud

Hay que atribuir al modo de polémica, tan grato a la antigüedad, de ignorar al adversario, el que en la literatura rabínica se hable de Jesús muy pocas veces. Por lo que se refiere a sus palabras, sólo nos han sido conservadas en dos pasajes de la abundante literatura talmúdica, y se trata de dos relatos que hablan del cristianismo con menosprecio. Lo cual no obsta para que uno de esos textos sea importantísimo, ya que probablemente hemos de agradecerle la versión aramea literal de Mt 5, 17 [122]. Examinaremos la segunda palabra de Jesús contenida en el talmud, en la página 38 y siguientes.

120. Traducción de A. Harnack, *Lehrbuch der Dogmengeschichte* I, Tübingen [4]1909, 257, nota 2.
121. W. Bauer, *Die Oden Salomos* (KIT 64), Berlin 1933.
122. b. Schab. 116 a b. En el marco de una anécdota, contada para denigrar a los cristianos, se cita Mt 5, 17 de la siguiente manera: «Yo, el evangelio (*'awon gillajon* = "revelación de maldad", un cacofemismo) no he venido a quitar (*miphchat*) de la torá de Moisés, sino (así el cod. Mon.; el cod. B: y no) a añadir (*osophe*) a la torá de Moisés». Ahora bien, no cabe duda de que el tiempo de esta narración hay que fijarla en la época amorrea (K. G. Kuhn, *Giljonim und sifre minim*, en *Judentum Urchristentum Kirche* (BZNW 26), Berlin 1960, 24-61, especialmente 55, y Mt 5, 17 se ha entendido equivocadamente como una declaración del evangelio personificado. Pero esto no excluye en ningún modo la posibilidad de que la versión ofrecida por b. Schab. 116b de Mt 5, 17 haya conservado los equivalentes arameos de καταλῦσαι y πληρῶσαι. En caso de que πληρῶσαι sea una transcripción de *osophe* (añadir, completar), entonces el sentido primitivo del logion sería que Jesús tiene la intención de llevar la revelación de Dios a su plenitud.

8. *Autores mahometanos*

En los autores mahometanos, especialmente en el teólogo más importante del Islam: Al Ghazali (1059-1111), se encuentra gran número de palabras de Jesús extraevangélicas. Ya el Corán contiene partes apócrifas referentes a Jesús. Durante los primeros siglos después de Mahoma, surgió entre los primeros ascetas del Islam una amplia tradición sobre la vida y la predicación de Jesús [123]. Seguramente utilizaron rasgos de la tradición evangélica canónica y apócrifa, tal y como pudo haber llegado a los mahometanos a través de la tradición oral y aún quizá escrita de los monjes cristianos, mezclados (esos rasgos) con la imagen de Jesús, ascético-mística, propia de los ascetas islámicos [124]. Como consecuencia, los *agrapha* mahometanos tienen un carácter muy heterogéneo. En parte se trata de amplificaciones o transformaciones de las palabras canónicas de Jesús; en parte de ficciones legendarias edificantes; en parte de máximas y sentencias que fueron atribuidas a Jesús debido al aprecio de que gozaba en el Islam. Mencionemos un ejemplo de este grupo de *agrapha* mahometanos; en él Jesús ensalza la virtud de la humildad:

> Dijo a los hijos de Israel: —¿Dónde crece la simiente? —En el polvo de la tierra. —En verdad os digo: la sabiduría solamente puede crecer en el corazón que ha llegado a ser como el polvo [125].

M. Asín Palacios ha reunido una completísima colección de *agrapha* mahometanos, que todavía no ha sido superada; contiene 225 palabras de Jesús transmitidas en árabe, a las que hay que añadir ocho *agrapha* conservados solamente en latín o francés [126]. El *agraphon* «del puente» que estudiaremos en p. 113 ss, pertenece también a las palabras del Señor transmitidas por el Islam.

---

123. Cf. el capítulo: «Der Islam und das Christentum», en T. Andrae, *Islamische Mystiker*, Stuttgart 1960, 13-43.
124. Cf. *Ibid.*, 22 s. Andrae ofrece allí algunos ejemplos típicos de la tradición islámica relativa a Jesús.
125. Abû Tâlib al-Makkî, *Qût al-qulûb*... II, 74, citado en T. Andrae, *o. c.*, 25.
126. *Logia et agrapha Domini Jesu apud moslemicos scriptores, asceticos praesertim, usitata* (PO 13, 3) Paris 1919, 327-431; 19, 4. 1926, 529-624. Con todo hay que reducir el número de los *agrapha* presentados por Asín Palacios, ya que algunas de esas palabras se atribuyen a Juan Bautista, a su padre Zacarías y a la virgen María. No disminuye el valor de esta colección única por el hecho de que el autor haya procedido de un modo no crítico en la cuestión de la autenticidad. Otras colecciones, más antiguas, de *agrapha* mahometanos: D. S. Margoliouth, *Christ in Islam.* Sayings attributed to Christ by

IV. EXAMEN DEL MATERIAL

Los numerosos *agrapha*, cuyas fuentes acabamos de conocer, son de valor muy diverso; contienen paja y grano; demasiada paja y poquísimo grano. Es necesario aventar. Tal trabajo crítico, que ya fue preparado cuando describíamos las fuentes mediante algunas indicaciones, no lo vamos a continuar aquí en cada caso particular, sino que solamente mencionaremos los puntos de vista decisivos, ilustrándolos con algunos ejemplos. Los distintos *agrapha* se irán agrupando por sí mismos. En las páginas que van a seguirse a continuación, ordenaremos en cierta manera esos nueve grupos a modo de círculos concéntricos: cuanto más avancemos hacia el centro, tanto más disminuirá lo aportado por el material, y tanto más difícil será el determinar si un dicho aislado atribuido al Señor contiene o no una antigua tradición. Comenzaremos con un primer grupo, acerca del cual el juicio es inequívoco:

1. *Palabras del Señor inventadas con carácter tendencioso*

A este grupo hay que adscribir la mayor parte de las tradiciones extraevangélicas referentes a Jesús. Entre ellas hay que reseñar en primer lugar los numerosos evangelios y tratados gnósticos, que pretenden anunciar y transmitir revelaciones valiéndose de Cristo glorificado, o aún terrenal. El deseo de legitimar los propios puntos de vista con la autoridad de Jesús, dio ocasión a la invención de palabras del Señor. Con dos ejemplos quedará claro este tipo de *agrapha*. En el evangelio griego de Felipe mencionado por Epifanio [127] encontramos:

> El Señor me ha revelado lo que ha de decir el alma en su subida al cielo, y cómo ha de responder a cada uno de los poderes superiores; a saber: «Yo me conozco a mí mismo, me he recogido de todas partes y no he engendrado hijos para el Arconte, sino que he arrancado sus raíces y reunido los miembros dispersos; y sé quién eres, porque pertenezco a los que son de arriba» [128].

mohammedan writer (ET 1893-1894), 59, 107, 177 s, 503 s, 561; E. Sell - D. S. Margoliouth, *Christ in mohammedan literature*, en *A dictionary of Christ and the Gospel* II, Edinburgh [4]1924, 882-886; J. H. Ropes, *Agrapha*, en *Dictionary of the Bible*, Edinburgh-New York 1904, 350-352.
127. Este evangelio no es el mismo que el evangelio de igual nombre hallado en Nag Hamadi; cf. H.-Ch. Puech, en Hennecke[3] I, 194 s.
128. Epifanio, *Panar. haer.* 26, 13, 2.

He aquí el lenguaje de la gnosis. A los gnósticos les preocupa la cuestión de qué es lo que ha de decir el alma a los poderes cósmicos que la quieren cerrar el camino, cuando después de la muerte vaya subiendo al cielo. Para prestar mayor autoridad a la consigna secreta de ese viaje celestial del alma, se la presenta como palabra de Jesús. Así, el logion 50 del evangelio copto de Tomás hace que Jesús exprese el pensamiento tan característico de la gnosis, de que el «yo» del gnóstico procede del mundo de la luz celestial como de su verdadera patria. Dice así:

> Dijo Jesús: «Si la gente os pregunta: ¿de dónde venís? decidles: hemos venido de la luz, del lugar en el que la luz ha nacido de sí misma» [129].

Otro motivo de esa invención tendenciosa de palabras del Señor, fue el deseo de hacer remontar algunas exigencias ascéticas a Jesús, legitimándolas de esa manera. En este sentido hay que mencionar la siguiente sentencia tomada del evangelio griego de los egipcios: «Yo he venido para destruir las obras de la mujer *(des Weiblichen)*» [130], que es una transformación de 1 Jn 3, 8 y exige la ascesis sexual. La misma tendencia ascética denuncia la sentencia, que también procede del evangelio griego de los egipcios, y que se supone va dirigida a Salomé de quien «seguirá existiendo la muerte, mientras las mujeres sigan procreando» [131].

A continuación hay que citar a la apologética como causa de invenciones tendenciosas de palabras del Señor. Así por ejemplo, el evangelio de los nazarenos muestra a Jesús rechazando el pasar por el bautismo de Juan con estos motivos: «¿En qué he pecado, para que vaya, y me haga bautizar por él?» [132]. Estas palabras quieren destacar la falta de pecados en Jesús, tratando de alejar el tropiezo que puede ser el relato de que Jesús se sometió al bautismo de Juan, para la remisión de los pecados (Mt 3, 6; Mc 1, 4; Lc 3, 3).

También las polémicas fueron causa de que se inventaran palabras de Jesús, como muestra la siguiente historia del talmud. Uno de los teólogos más representativos del judaísmo, de hacia el 90 d.C., R. Eli'ezer ben Hyrkanos, conocido como el intérprete

---

129. Véase también, como ejemplo de una invención tendenciosa, la palabra del Cristo preexistente, tomada del *Himno naaseno*, y citada en la p. 34 s.
130. Clemente de Alejandría, *Strom.* III, IX 63, 2.
131. Clemente de Alejandría, *Strom.* III, VI 45, 3; III, IX 64, 1; *Exc. ex Theod.* 67, 2.
132. Jerónimo, *Adv. Pelag.* III 2 (MPL 23 [1845], 570 s).

insobornable de las antiguas tradiciones, relata que en cierta ocasión, encontrándose en la villa galilea de Sepphoris, y precisamente en el mercado, le habló un cristiano llamado Jacob, de la aldea de Kefar-Sekania. El tal Jacob le planteó la siguiente cuestión: «En vuestra ley está escrito: "No debes traer el salario de una prostituta (a la casa de Dios)" (Dt 23, 19). Pues bien, «¿se puede hacer de tal (dinero) un excusado para el sumo sacerdote?» [133]. El, Eli'ezer, no supo qué responder en un primer momento. Entonces le dijo el tal Jacob: «Así me ha enseñado Jesús de Nazaret: "Es el salario de una prostituta, pues que vuelva a ser salario de prostituta (Miq 1, 7); viene de la inmundicia, pues que vuelva a la inmudicia"» [134]. El juicio sobre el valor de estas palabras se enfrenta con algunas dificultades. Ponderaremos los datos a favor y los datos en contra.

En primer lugar los datos a favor. No se puede dudar de que tuvo lugar aquel encuentro del escriba Eli'ezer con el cristiano; también en otros lugares fuera de esta historia se testimonia que Jacob de Kefar-Sekania era discípulo de Jesús [135], y le presta verosimilitud la indicación exacta del lugar del encuentro. El relato sobre el fin de Judas (Mt 27, 6s) atestigua que en tiempo de Jesús era agudo el problema de lo que los tesoreros del templo debían hacer con aquel dinero al que públicamente estaba unido el pecado. También sabemos que Jesús no se detenía ante expresiones fuertes, como en Mc 7, 19 y en el Oxyrhynchus-Papyrus 840, estudiado en la p. 56 ss. Tampoco se puede objetar que la susodicha palabra de Jesús carezca totalmente de un sentido más profundo; es seguro por otra parte que Jesús no tenía ningún interés en la cuestión del empleo de dinero impuro en el templo, tomada en sí misma; tampoco se halla en el texto que Jesús «quiera que se tome en serio la santidad de la casa de Dios» [136]; más bien el sentido profundo de las palabras de Jesús, en la presente historia, es el triunfo del profeta sobre la torá, con la ayuda de un ejemplo drástico. Desde el punto de vista técnico, el modo de argumentar (citas de la Escritura contra citas de la misma Escritura), tiene una analogía con Mc 10, 2 s. El que, a la vista de estas consideraciones se decida a favor de la legitimidad de esta his-

133.   El sumo sacerdote tenía que pernoctar en el templo toda la semana que precedía al día de la expiación: Joma 1, 1; Joma 1, 39 a, 22 s.
134.   b.'AZ.16b/17a. Los paralelos de Midr. Pred. Sal 1, 8 muestran que son más recientes por ser mucho más prolijos.
135.   Tos. Chul. 2, 22 s (ed. Zuckermandel, 503, 13 s), donde se llama Jacob de Kephra-Sama, y lugares paralelos.
136.   Ropes, *o. c.*, 151.

toria, la considerará como un «torso». No sin alguna intención había hecho Jesús destacar la superioridad del profeta; lástima que no se nos relaten las consecuencias que de ahí se siguieron. En todo caso, este párrafo sería un testimonio más de la libertad íntima con la que Jesús obraba frente a la ley mosaica.

Mas, frente a todo esto existe también un «contra», con argumentos de peso. Teniendo en cuenta la tradición evangélica, ¿podemos admitir realmente que Jesús (aun con intenciones profundas) plantease la cuestión de si el producto que las prostitutas obtienen de su oficio se podía aceptar como donación para los fines del templo? Además, aun pasando por encima de eso, ¿es probable que Jesús abogase por una relajación del mandamiento de la tora (estricto en este punto) (Dt 23, 19), y se decidiese a favor de que el dinero de las prostitutas sirviese al menos para proveer de instalaciones sanitarias al templo? Para quien conozca el tejido de las polémicas anticristianas de la época talmúdica primitiva, no cabrá la menor duda de que esa polémica ha puesto en boca de Jesús unas palabras que sirviesen para desacreditarlo. El estudio de este texto, desde el punto de vista de la historia de las tradiciones, habla vigorosamente a favor de esta hipótesis. La historia del encuentro de R. Eli'Ezer con el cristiano Jacob se nos ha transmitido de tres maneras [137]. La redacción más antigua habla, sin mayor precisión, de una «palabra herética» que Jacob, el de Kefar-Sikhin, pronunció en nombre de Jeschua' Ben Pantere (=Jesús) [138]; la segunda (reproducida más arriba) afirma que conoce esas palabras, y la tercera redacción [139] la desarrolla un poco más ampliamente. Es evidente que la tradición más antigua no sabía cuál era la palabra de Jesús que había impresionado a R. Eli-Ezer [140]. Por lo tanto, esas palabras no son una tradición antigua [141] sino que se inventaron para desacreditar a Jesús.

137. Billerbeck I, 36-38.
138. Tos. Chul. 2, 24 (ed. Zuckermandel, 503, 26 s).
139. Midr. Pred. Sal. 1, 8.
140. Así también A. Schlatter, *Die Kirche Jerusalems von Jahre 70-130* (BFChTh 2, 3), Gütersloh 1898, 14; *Geschichte Israels von Alexander dem Grossen bis Hadrian*, Stuttgart ³1925, 449, nota 360; H. L. Strack, *Jesus, die Häretiker und die Christen*, Leipzig 1910, 23*, nota 7.
141. Contra Ropes, *o. c.*, 149-151.

2. *Modificaciones tendenciosas de las palabras del Señor*

No siempre se inventaron, pura y simplemente, palabras de Jesús, cuando alguien quería remitirse a él; era mucho más sencillo transformar las palabras de Jesús transmitidas por la tradición. Así, algunos círculos ascéticos hacen que Jesús exija el abandono de los bienes, generalizando la palabra de Mt 10, 9 dirigida a los apóstoles: «No poseáis ni oro, ni plata, ni cobre», en esta otra consigna: «No poseáis nada sobre la tierra» [142].

El prólogo del evangelio copto de Tomás («Estas son las palabras secretas que Jesús pronunció mientras vivía y que Tomás Judas el dídimo escribió») es una ampliación del logion: «Quien encuentre la interpretación de estas palabras, no gustará la muerte» [143]. Todo esto es, sin duda, una elaboración gnóstica de Jn 8, 52: «Si alguno guarda mi palabra no gustará jamás la muerte». Mientras que en las palabras de Juan se señala la obediencia a la fe como condición previa para la preservación de la muerte eterna, para el pensamiento gnóstico es el conocimiento del sentido secreto de las palabras de Jesús; en otras palabras: la doctrina gnóstica misma. Si en los dos casos que hemos mencionado la transformación de las palabras de Jesús se realizaba con la intención de conferir autoridad a los propios puntos de vista, el evangelio de Pedro nos pone ante los ojos otro motivo distinto. Cuando en él se oiga el grito lanzado por Jesús en la cruz: «Fortaleza mía, fortaleza mía; me has abandonado» (v. 19), se piensa haber removido con ello el escándalo que significaba el grito relativo al abandono de Dios, tal y como lo habían transmitido el evangelio de Mateo y de Marcos.

3. *Invenciones legendarias*

Realmente es grande la cantidad de *agrapha* de este tipo, que si bien no presentan opiniones heréticas (que hubiesen podido motivar su aparición), sin embargo deben ser tenidos como legendarios, bien por su contesto, bien por su contenido. Se trata de

---

142. Efrén, *Testamentum (Opp. Graece,* ed. Assemani II, 232), cf. J. H. Ropes, *o. c.,* 102 s; Resch, *o. c.,* 198 s; y una cita análoga, por lo demás sin indicación de su origen, en *Liber graduum,* serm. XIX 19 (col. 481, 6. Kmosko [PS I 3]): «noli possidere quidquam in terra».

143. Logion 1, según la numeración de Leiden. J. Leipoldt (cf. p. 23, nota 44) entiende estas palabras como dichas por Tomás; sostiene lo contrario O. Hofius, *Das koptische Thomasevangelium und die Oxyrhyncus-Papyri nr. 1, 654 y 655:* EvTh (1960) 21-42, 182-192, y especialmente 26.

invenciones nacidas de la fantasía caprichosa de los escritores cristianos primitivos. De este tipo de formaciones legendarias son en primer lugar, todas las palabras que encontramos en las narraciones de los evangelios apócrifos de la infancia de Jesús, y en los relatos de la pasión (cf. p. 28), así como también en otros relatos concernientes a la vida de Jesús [144]. Séanos permitido transcribir una pequeña historia concerniente a Jesús, tomada del evangelio copto de Felipe, como ejemplo de este tipo de *agrapha*. Se cuenta en el dicho 54:

> El Señor llegó a la tintorería de Leví; tomó 72 colores y los arrojó en la caldera. Después los sacó de nuevo: todos se habían transformado en blanco. Y dijo: del mismo modo, el hijo del hombre ha venido para quitar los pecados [145].

En esta narración, que tiene clarísimamente el sello de ser una invención, se incluye un *agraphon* que interpreta el milagro de los colores como una acción simbólica relativa a la misión de Jesús. El *agraphon* recuerda a Lc 19, 10; sin embargo, a su lado, es solamente un pálido reflejo.

También pertenecen a este grupo de invenciones legendarias la carta de Jesús a Abgar de Edesa (cf. p. 29 s), la narración que hace Jesús en la «Historia de José el carpintero» (cf. p. 30), y las alocuciones de Jesús resucitado, en la medida en que son de tipo convencional, y no quieren comunicar verdades reveladas. Se puede decir que, propiamente hablando, la invención de palabras legendarias atribuidas a Jesús nunca ha terminado. Tales son las edificantes conversaciones del Señor resucitado mantenidas con los santos padres, tal y como se relatan, especialmente, en los escritos del monaquismo ascético [146]; invenciones de una fantasía piadosa, ni más ni menos que las máximas transmitidas por los autores y manuscritos de la edad media, y muchos de los *agrapha* mahometanos [147]. Pertenecen a la misma serie de leyendas, relativas a Jesús, de tiempos más modernos, y carecen absolutamente de todo valor histórico.

---

144. Cf., por ejemplo, los Hechos de Juan 88-102 *(Acta apostolorum apocrypha* II 1 [ed. M. Bonnet. Leipzig 1898, reimpresión Darmstadt 1959, 194 ss]), donde también desempeñan un papel las ideas de los docetas.
145. Numeración y traducción de H.-M. Schenke, *Das Evangelium nach Phlippus*, en J. Leipoldt - H.-M. Schenke, *Koptisch-gnostische Schriften aus den Papyrus-Codices von Nag-Hamadi*, 1960, 47.
146. Mencionemos, como ejemplo, las actas coptas de los mártires: *Acta martyrum* (ed. I. Balestri-H. Hyvernat: CSCO 43), en copto; 44 en traducción latina, Lovaina 1955; cf. sobre todo 12, 30 s; 18, 20 s; 45, 9 s de la traducción.
147. Sobre los *agrapha* mahometanos véase también p. 36 s; 113 s.

4. *Atribuciones equivocadas*

Existe toda una serie de casos de nuevas palabras del Señor, debidas a que se atribuyó a Jesús un patrimonio extraño: las palabras de un apóstol; el dicho de un profeta; las palabras de un salmo; unas palabras del género apocalíptico; un dicho sapiencial; una regla ética; un precepto religioso; una fórmula litúrgica o un proverbio. Así por ejemplo, en la Didascalia Siria se presentan erróneamente como palabras de Jesús, unas tomadas de la 1 Pe 4, 8: «El amor cubre la muchedumbre de los pecados» [148]. Asimismo el *agraphon* citado en Hech 20, 35, es probablemente un proverbio procedente del mundo greco-romano, que fue puesto en boca de Jesús [149]. Es completamente seguro que el obispo de Hierápolis, Papías, se equivocó cuando citó como palabras de Jesús un cuadro de tipo apocalíptico del futuro. Papías fue el primer coleccionista de palabras de Jesús extraevangélicas; de él dice Ireneo que oyó personalmente en Asia Menor a Juan, el del Zebedeo [150]. El anciano, que recogió con gran celo material para su obra en cinco tomos: *Glosa de las palabras del Señor*, no era precisamente, según testimonio de Eusebio, una lumbrera [151], y por ello tomó sin ninguna crítica lo que se le contaba, como por ejemplo las palabras de Jesús que se encuentran en el siguiente contexto transmitido por Ireneo:

> He aquí lo que recuerdan los presbíteros que vieron a Juan, el discípulo del Señor, y que dicen haber oído de él; a saber: cómo el Señor había dicho y enseñado con relación a esos tiempos: «Vendrán días en los que crecerán viñas, de las que cada una tendrá 10.000 cepas, y cada cepa 10.000 ramas, y cada rama 10.000 sarmientos, y cada sarmiento 10.000 racimos, y cada racimo 10.000 granos y cada grano al ser prensado dará 10.000 litros. Y cuando alguno de los santos coja un racimo, otro racimo gritará: yo soy un racimo mejor; tómame, y alaba al Señor por mi causa. Asimismo un grano de trigo producirá 10.000 espigas, y cada espiga tendrá 10.000 granos, y cada grano producirá cinco medidas dobles de harina blanca, limpia; y también los restantes frutos (tendrá su producción correspondiente): las semillas y los tallos producirán en el modo que les es propio; y todos los animales se alimentarán de esos alimentos que les ofrecerá la tierra, viviendo en

---

148. *Didaskalia syr.* II 3, 3 (p. 34, 14 s de Funk; p. 35, 19 s de Gibson); cf. Clemente de Alejandría, *Paedag.* III, XII, 91, 3 (p. 286, 14 Stählin [GCS 12]), donde por lo demás no queda claro si hay que tomar la cita de 1 Pe 4, 8 como palabra del Señor.
149. E. Haenchen, *Die Apostelgeschichte*, Göttingen, [12]1959, 526 s, especialmente nota 5.
150. Ireneo, *Adv. haer.* V 33, 3 s; cf. Eusebio, *Hist. eccl.* III 39, 1.
151. Eusebio, *Hist. eccl.* III 39, 13.

paz y armonía unos con otros, y plenamente sometidos en obediencia a los hombres». Esto es lo que testifica Papías, el que oyó a Juan y era familiar de Policarpo, anciano, y puso por escrito en cuatro de sus libros; ya que el total de su obra abarca cinco libros. Y él (¿Jesús? ¿Papías?) añadió: «Esto es creíble para los que tienen fe». Y cuando Judas, el traidor, continúa, no quiso creer y preguntó: «¿Cómo podrá producir el Señor tal acontecimiento?», respondió el Señor: «Lo verán los que vivan hasta entonces» [152].

No se necesitan muchas palabras para demostrar que esa descripción fantástica de la fertilidad propia de la naturaleza renovada nada tiene que ver con Jesús. Se encuentra algún lugar paralelo de esta historia, no en los evangelios, pero sí en los apocalipsis del judaísmo tardío [153].

5. *Atribuciones motivadas*

No en todos los casos se deben esas transposiciones a un error. Tal es el caso, por ejemplo, de la sentencia citada por Pablo en 1 Cor 2, 9, que procede de una fuente desconocida para nosotros, y que precisamente por no tener un origen conocido, se atribuyó a Jesús. Se ha citado reiteradamente como un *agraphon* [154], encontrándose algunas variaciones insignificantes entre los distintos textos. El testimonio más antiguo es el dicho 17 del evangelio copto de Tomás:

> Jesús dijo: os daré lo que ningún ojo vio, ningún oído escuchó, y ninguna mano tocó, y no ha entrado nunca en el corazón del hombre.

En muchos casos el motivo para que se atribuyeran a Jesús palabras que tenían otra procedencia fueron concepciones cristológicas. Esto se puede aplicar primeramente a propósito de la atribución de algunos dichos veterotestamentarios, hallándose en la base la convicción de que el *Cristo preexistente* había hablado por boca de los profetas o del salmista. La iglesia primitiva, que utilizaba el antiguo testamento en griego, entendió bajo la palabra Κυριος (en hebreo: «Yahvé») a ese Cristo preexistente y de este

---

152.   Ireneo, *Adv. haer.* V 33, 3 s.
153.   Tiene estrecho parentesco con él: Bar, sir. 29.
154.   Evangelio copto de Tomás, logion 17; *Martyrium Petri* X = *Actus Petri cum Simone* XXXIX (*Acta apostolorum apocrypha* I, ed. R.A. Lipsius, Leipzig 1891, reimpresión Darmstadt 1959, 98, 7 ss, 99, 9 ss); *Liber graduum*, serm. XVI 12 (col. 412, 19 ss. Kmosko ([PS I 3]); Turfan-Fragment M 789 (cf. Hennecke[3] I, 217).

modo le atribuyó palabras de Dios procedentes del antiguo testamento. Este proceso comienza en el nuevo testamento [155].

El *Liber graduum* (primera mitad del siglo IV) muestras muy bien cómo, de modo análogo, algunas palabras de los apóstoles se entendieron como palabras de Cristo glorificado. En el sermón X, 5 introduce unas palabras del apóstol Pablo con la expresión: «Así ordena el Señor por boca de Pablo» [156]. Este lugar da la explicación de por qué, con frecuencia, se citan en el *Liber graduum* palabras de Pablo como palabras del Señor [157]. Al mismo tiempo esta interesante locución muestra cómo fundamentaba la iglesia primitiva la autoridad de las palabras de los apóstoles. Modo que había sido ya preparado por el mismo Pablo en 1 Tes 2, 13. Esta consideración es de gran importancia para nuestro trabajo al mostrar que la atribución de sentencias vetero y neotestamentarias a Jesús, no solamente es el resultado, como hasta ahora se había generalmente supuesto, de un error o de una arbitrariedad, sino que tiene también un fundamento teológico; a saber: en las palabras de los testigos del antiguo y del nuevo testamento, la iglesia percibe la voz de su Señor o bien preexistente, o bien, glorificado.

6. *Modificaciones de las palabras de Jesús de los evangelios*

El estudio detenido de gran cantidad de *agraphon* muestra que en realidad no son sino una modificación de las palabras de Jesús contenidas en los evangelios. Por lo general se trata de una ampliación (a veces también de un acortamiento), de modificaciones retóricas, embellecimientos, adornos, apostillas, aclaraciones, correcciones (por ejemplo, de las expresiones más duras); en ocasiones se trata de citas inexactas, armonización de los lugares paralelos de los sinópticos, mezcla de diversos logia, o una adaptación de las palabras de Jesús a las nuevas situaciones de la iglesia. Con especial gusto se amplían las palabras de Jesús según las leyes del *parallelismus membrorum*. Buen ejemplo es la ampliación que ofrecen algunos manuscritos de las palabras

---

155. Cf., por ejemplo, Heb 2, 11-13; 10, 5-9.
156. Col 257, 21 s. Kmosko *(hakana paqed enun maran... kad amar b°jad Paulos)*. Cf. la introducción análoga de palabras veterotestamentarias en la didascalia siria, por ejemplo, V 15, 2: «Sicut dixit Dominus et salvator noster per Jesaiam prophetam» (282, 2 s, Funk).
157. Por ejemplo: *Serm.* II, III (col. 29, 17 s [Rom 12, 21]; col. 32, 4 [Rom 12, 14]); XII 6 (col. 300, 22 s [Col. 3, 1]).

de Lc 10, 16: «Y quien me escucha a mí, escucha también al que me envió» (cf. p. 27). Ya el escaso número de testimonios que apoyan esta frase hace muy poco probable que «haya que contarla con seguridad entre las palabras originales del Señor» [158]. Pero si además se tiene en cuenta que esta frase final destruye la estructura (paralelismo por grados), y resta a las palabras su movimiento ascendente, el carácter incisivo, y la vehemencia que les confiere el acabar con un rechazo por parte de Dios, no se podrá dudar de que nos encontramos ante un acto de pedante ampliación del *parallelismus membrorum*. No de otra manera hemos de juzgar la ampliación de Jn 12, 44 que contiene el sysin (cf. p. 27). También el evangelio copto de Tomás, en algunos de sus logia, da muestras de este tipo de modificaciones secundarias; así, por ejemplo, en la sentencia 31, donde las palabras acerca del profeta que no es bien recibido en su tierra (Lc 4, 24), se amplían con este paralelismo: «Ningún médico sana a los que le conocen» (=Oxyrhyncus-Papyrus 1, 6; cf. p. 17). Lo mismo sucede con el logion 100, en el que Jesús responde a la cuestión acerca del dinero del césar:

> Dad al césar lo que es del césar;
> a Dios lo que es de Dios;
> y a mí, lo que es mío.

Las conocidas palabras de los sinópticos (Mt 22, 21; Mc 12, 17; Lc 20, 25) han sido ampliadas con un tercer término paralelo, que también se atribuye a Jesús al incluirlo en su discurso. Asimismo, tampoco hay que considerar al bello *agraphon* contenido en el logion 25:

> Ama a tu hermano como a tu alma [159],
> ¡guárdale como a la niña de tus ojos!

como una sentencia independiente de Jesús, sino que aparece claramente como una réplica del mandamiento del amor (Lev 19, 18 = Mt 19, 19b; 22, 39 par; Mc 12, 31 y Lc 10, 27) en la primera línea, ampliada después en la segunda con una idea parecida (probablemente debida al influjo de lugares como Dt 32, 10b; Sal 17, 8; Prov 7, 2).

Si las modificaciones que acabamos de citar, realizadas sobre palabras canónicas de Jesús, son el ejemplo de las que se hicieron

---

158. Resch, *o. c.*, 49.
159. Es decir: como a ti mismo.

siguiendo la ley del *parallelismus membrorum*, un logion del evangelio copto de Tomás nos mostrará un ejemplo de modificación de las palabras de Jesús realizada libremente. Dice el logion 48: «Jesús dijo: "Si dos contrarios hacen la paz entre ellos en la misma casa, dirán a la montaña: ¡vete de aquí! y la montaña se irá"». ¡Afirmación realmente impresionante! El hacer las paces de dos hombres que hasta entonces habían sido enemigos lleva consigo una gran promesa: hace que lo imposible sea posible, y lo impensable se haga realidad [160]. Son palabras realmente dignas de los labios de Jesús; sin embargo hemos de considerarlas como una elaboración secundaria que ha transferido el tema del traslado de montañas, como signo de la fe Mt 17, 20; 21, 21; par Mc 11, 23; cf. también 1 Cor 13, 2) a la reconciliación; es decir: al amor.

7. Transformación de relatos evangélicos en palabras de Jesús

Algunos *agrapha* provienen también de que una parte narrativa de los evangelios canónicos, o una anotación, se pone en estilo directo y se coloca en labios de Jesús. Así, por ejemplo, en el padre de la iglesia sirio, Afraates, encontramos, como palabra de Jesús, esta sentencia: «Orad y no os canséis» [161]. No es necesario que la consideremos como una transposición de las palabras de Pablo en 1 Tes 5, 17 «orad sin cesar», aplicándolas a Jesús, sino que más bien es un *agraphon* formado a base de Lc 18, 1 [162], ya que aquí encontramos esta observación: «El les dijo una parábola para mostrarles que debían orar siempre y no desfallecer». Otro ejemplo de este grupo de *agrapha* lo encontramos en el evangelio de los ebionitas, en el que Jesús mismo narra la vocación de los doce apóstoles [163], entrando en la narración elementos de los tres sinópticos.

---

160. Sobre la expresión: «mover las montañas», cf. Billerbeck I, 759.
161. Afraates, *Demostrationes* IV 16 (col. 173, 26 Parisot [PS 1 1]); cf. *Liber graduum*, serm. XXIX 8 (col 832, 15 Kmosko [PS I 3]) donde se encuentra el *agraphon*: «Sed infatigabiles en la oración».
162. Así también Ropes, *o. c.*, 76 s; Resch, *o. c.*, 138 s, tiene al *agraphon* por palabra auténtica del Señor, puesta por Lucas en estilo indirecto.
163. Epifanio, *Panar. haer.* 30, 13, 2 s (p. 349, 1 s, Holl [GCS 25]). Véase la traducción en Hennecke³ I, 102.

8. Agrapha *empleados como recursos técnicos literarios*

El material ha quedado ya considerablemente reducido. Llegamos a un octavo grupo en el que es dificilísimo tomar una decisión. Se trata de *agrapha* considerados por muchos autores como tradición antigua, y un como auténticas palabras de Jesús, y que sin embargo, por su contexto, deben considerarse como puras creaciones libres destinadas a servir a la forma general de la composición (como transiciones o como conclusiones).

En el grupo de las transiciones hay que incluir, a mi juicio, las siguientes palabras de la segunda carta de Clemente:

> Pues dice el Señor: «Seréis como corderos en medio de lobos» (Mt 10, 16; Lc 10, 3). Pedro le respondió: «¿Y si los lobos destrozan a los corderos?». Jesús le dijo a Pedro: «*Los corderos, después de su muerte, ya no tienen que temer a los lobos*». Así pues, vosotros tampoco temáis a los que os matan y luego ya no pueden haceros nada más, sino temed más bien al que después de la muerte tiene poder sobre el cuerpo y sobre el alma, para arrojarlos al infierno» [164] (Mt 10, 28; Lc 12, 4 s).

Ya su mismo contenido, no precisamente demasiado ingenioso, hace difícil el considerar las palabras subrayadas como palabras auténticas del Señor [165]. En realidad se trata de la unión, no muy hábil, de dichos dispersos, realizada mediante esas palabras inventadas [166].

Tampoco podríamos juzgar más favorablemente la adición a Mt 20, 28, que se encuentra en algunos manuscritos. No es más que una variante, de calidad inferior, de Lc 14, 8-10, con una frase introductoria que primeramente parece no tener sentido, pero que en realidad sólo está mal formulada. En efecto, la palabra «buscáis» de esa frase introductoria («¡Pero vosotros buscáis transformaros de pequeños en grandes, y de grandes en pequeños!») ha de entenderse como un requerimiento, queriendo entonces significar la frase: «Sed modestos, para que se os tribute honra; pero si se os tributa honra, renunciad libremente a ella». Es un intento secundario y fallido (a causa de su oscuridad) de resumir la amonestación contenida en la parábola sobre la elección de puestos en un banquete. Esa frase introductoria pretende ser el paso de Mt 20, 25-28 al logion de los puestos en la mesa

---

164. 2 Clem 5, 2-4.
165. Así Ropes, *o. c.*, 146 s, al que se une E. Klostermann, *Apocrypha III* (KlT 11), ²1911, 3; con reservas R. Seeberg, *Worte Jesu*, en *Christoterpe* 1904, 31 de la edición especial.
166. W. Bauer, *Das Leben Jesu im Zeitalter der neutestamentlichen Apokryphen*, Tübingen 1909, 381 s.

del banquete, y es evidente que debe su origen a una técnica de composición literaria [167].

Más difícil es juzgar otras dos palabras de Jesús, del Papyrus Egerton 2 (véase p. 21), que subrayaremos. El fragmento 1 dice:

> [Jesús dijo a] los doctore[s de la Ley: «*Castigad* (?) [a *todo*] *aquel, que actúe contra la ley, pero no a mí* [...] lo que él hace, como él lo hace». Volviéndose a los jefes del pueblo les dijo las siguientes palabras: «[Vosotros] escudriñáis las Escrituras en las que pensáis tener la vida, son ellas las que testimonian acerca de mí. No penséis que yo vine a acusaros delante de mi Padre; hay uno que os acusa: Moisés, en el que tenéis puesta vuestra esperanza». Pero cuando ellos dijeron: «Sabemos que Dios habló a Moisés; pero de ti no sabemos de dónde vienes», respondió Jesús y les dijo: «*Ahora (sí) se levanta una acusación contra* [*vuestra in*] *credulid*[*ad*]».

Nos hallamos ante un diálogo de controversia de tipo joánico. Debió tratarse de un interrogatorio oficial, al que fue sometido Jesús, pues los que él llama «jefes del pueblo», quieren detenerle acto seguido. En efecto, el fragmento 1, recto, continúa:

> ...recoger piedras para lapidarle. Y los jefes pusieron sus manos en él, para detenerle y entregarle a la plebe. Pero no pudieron detenerle, porque todavía no había llegado la hora de su entrega.

La descripción de la situación presentada en este fragmento 1 está exigiendo un examen atento. No parece muy creíble que los «doctores de la ley» y los «jefes del pueblo» aparezcan como dos grupos diferentes, yuxtapuestos, y que los «jefes» quieran detener a Jesús para entregarle a la plebe. El apremio, hecho algunas líneas más abajo, a los leprosos para presentarse a los sacerdotes (en plural), confirma que el autor no conoce la vida social palestinense. No conocemos el motivo del interrogatorio, pero la cita de las palabras de Jesús de Jn 5 presta gran verosimilitud a la sospecha de que había precedido el quebrantamiento del sábado por parte de Jesús [168]. En cualquier caso, no es dudoso el sentido de la primera de las dos frases subrayadas, aun cuando sean posibles varios modos de completar el comienzo de la frase: «castigad» (Bell-Skeat), o «acusad» (Dodd), o «juzgad» (Dibelius) [169].

167. Contra Resch, *o. c.*, 39 s; y Ropes, *o. c.*, 151 s.

168. Así también M.-J. Lagrange, *Critique textuelle* II, Paris 1935, 634 (=RB 1935, 48).

169. Véase todo el aparato crítico en G. Mayeda, *Das Leben-Jesu-Fragment Papyrus Egerton 2*, Bern 1946, 7.

En todo caso, el sentido del *agraphon* es que Jesús protesta contra el hecho de que sus acusadores teológicos le traten como un criminal de derecho común. Jesús replica a los jefes del pueblo con palabras del evangelio de Juan. Les reprueba, con Jn 5, 39 que escudriñen las Escrituras, ya que por ellas debían reconocer los testimonios sobre él; y les amenaza con Jo 5, 45 en el sentido de que el mismo Moisés, en quien ellos ponen su esperanza, les acusará. Cuando ellos le responden, con Jn 9, 29, que Moisés está legitimado ante ellos como mensajero de Dios, pero que desconocen el origen de Jesús, replica éste con el segundo *agraphon* de nuestro papiro; a saber, con las palabras agudas, concisas, insólitas e impresionantes: «Ahora sí se levanta una acusación contra vuestra incredulidad». ¡La hora en que rechazan a Jesús (no un lejano día del juicio), es la hora de su acusación ante Dios!

El juicio sobre el valor de estas dos nuevas palabras de Jesús depende del juicio general que a cada uno merezca el Papyrus Egerton 2, especialmente del juicio que se tenga sobre sus relaciones con el evangelio de Juan. Quien mantenga la opinión de que el papiro utiliza una fuente también empleada por el evangelio de Juan [170], no tendrá ninguna dificultad en atribuir ambas palabras a la tradición. Quien por el contrario, con la mayoría de los investigadores, esté convencido de que el autor de nuestro fragmento se basa en los cuatro evangelios, tendrá que contar muy seriamente con la posibilidad de que las dos palabras, que más arriba hemos subrayado, son una invención del autor. En esta situación nos encontramos nosotros, pues opinamos que la yuxtaposición de materiales joánicos y sinópticos, la mezcla de vocablos joánicos y material sinóptico (y al revés), así como el encadenamiento de palabras-guía, hacen referencia forzosamente al empleo de los cuatro evangelios (citados de memoria) por parte del autor de este fragmento [171]. Por tanto, debemos ver en las dos palabras del Señor del Papyrus Egerton 2 algo de tipo secundario escrito para facilitar la transición entre dos textos.

Si en los *agrapha* pertenecientes a este grupo, y que hemos estado estudiando, se trataba de transiciones redactadas por motivos de técnica estilística, también encontramos ejemplos de formas de conclusión en una serie de variantes de textos neotestamentarios, cuyo contenido no ofrece en sí mismo ningún motivo para dudar, pero que sin embargo tienen insuficiente número de

170. *Ibid.*, 75.
171. J. Jeremias - K. F. W. Schmidt, *Ein bisher unbekanntes Evangelienfragment:* ThBl (1936) 34-45; H. I. Bell, *Recent discoveries of biblical papyri*, Oxford 1937, 17 s, y muchos otros.

testimonios a su favor. Tal se puede decir, por ejemplo, de la doxología del padrenuestro (Mt 6, 13b) [172]; las palabras de Jesús de Lc 9, 55b y 56a [173] y de la adición del Diatessaron después de Mt 17, 26: «Dijo Simón: sí. Dijo Jesús: ahora da tú también, como si fueras un extraño para ellos».

9. Los agrapha que quedan

Después de este proceso de eliminación, nos queda un grupo de palabras de Jesús contra las que no existen, ni en cuanto a su contenido, ni desde el punto de vista de la historia de las tradiciones, objeciones de peso; palabras que más bien se insertan en el ámbito de la tradición de los evangelios sinópticos, y cuya autenticidad puede tomarse muy en serio. Podrá discutirse en algunos casos, como expresamente recalcamos, hasta dónde se extienden los límites de cada grupo. El interés del trabajo presente se centra exclusivamente en las palabras de este último grupo restante. Se encuentran dichas palabras en: 1 Tes; Codex Bezae Cantabrigiensis; Oxyrhyncus Papyri 655, 840 y 1.224; evangelio copto de Tomás; evangelio de los nazareos; evangelio de los hebreos; en el mártir Justino; Apelles, discípulo de Marción; Teodoto, el gnóstico egipcio; los padres de la iglesia Tertuliano y Clemente de Alejandría, y en los llamados Hechos de Pedro. Si nos preguntamos por la historia de la tradición de estos logia, encontramos lo siguiente: en parte se encuentra en los evangelios apócrifos (evangelio copto de Tomás; evangelio de los nazareos; evangelio de los hebreos). También la parábola de los cambiadores de moneda, que se cita de distintas maneras (cf. p. 103 s), lo encontró Apelles en su evangelio [174]; por otra parte, dado que Teodoto conoció y utilizó el evangelio de los egipcios, pudiera ser que el *agraphon* que cita procediera de esa fuente (cf. p. 82 s); las palabras del Oxyrhyncus Papyrus 655 pertenecen a una redacción griega del evangelio de Tomás; asimismo los demás *agrapha*, transmitidos en papiros, de los que nos ocuparemos en la segunda parte del trabajo, fueron tomados verosímilmente de

---

172. Con esta ocasión queremos acentuar expresamente, que el carácter secundario de la doxología del padrenuestro no justifica el que se la rechace, pues, conforme a todas las analogías que se pueden encontrar de ese tiempo, Jesús quería que el padrenuestro terminase con una doxología; únicamente ocurrió que al principio se dejó a la improvisación del orante.
173. Véase p. 26.
174. Apelles, en Epifanio, *Panar. haer.* 44, 2, 6 (p. 192, 16 s, Holl [GCS 31]).

fuentes escritas. Finalmente, hay que suponer también una fuente escrita para el *agraphon* (p. 78 s) contenido en Tertuliano. Queda abierta la cuestión acerca del origen de la pequeña historia transmitida por el Codex D (p. 68); de los *agrapha* transmitidos por Clemente de Alejandría y Justino, y de las palabras de Jesús contenidas en los Hechos de Pedro (p. 94). Es de suponer que también estas tres últimas fuentes citadas, se sirvieron de algún evangelio. Sólo se pueden atribuir con seguridad a tradición oralinmediatalas palabras del Señor de la primera carta a los tesalonicenses. De este modo nos encontramos ante un resultado importante: las palabras del Señor de este último grupo proceden, casi sin excepción, de los evangelios apócrifos.

V. NUESTRA TAREA

La investigación relativa a los *agrapha* se había centrado por completo, hasta hoy, en la cuestión de su autenticidad, permaneciendo detenida en ese trabajo previo. No se había iniciado la tarea de interpretar aquellos *agrapha* que, después del análisis crítico, hemos retenido como resto digno de atención (i). Esta es la tarea que emprenderemos a continuación.

2

LAS PALABRAS DESCONOCIDAS DE JESUS

Séanos permitido una vez más referirnos, de manera expresa, al principio de selección en virtud del cual han sido escogidas las palabras que estudiaremos a continuación: solamente trataremos de aquellos *agrapha* que pueden colocarse junto a las palabras de Jesús de los evangelios sinópticos, y de cuya autenticidad histórica no se puede seriamente dudar, atendiendo a su contenido, a su forma, y a la historia de las tradiciones.

I. TRES NARRACIONES RELATIVAS A JESÚS

1. *La historia del adolescente rico*

La historia del joven rico contada en el evangelio de los nazareos tiene una forma distinta a la de la redacción de los tres evangelios (Mc 10, 17 s; Mt 19, 16 s; Lc 18, 18 s). Es verdad que al comienzo sigue de cerca el relato evangélico:

> Le dijo el segundo de los dos hombres ricos: «Maestro, ¿qué he de hacer para vivir?». El le dijo: «Haz lo que está mandado en la ley y los profetas». El le respondió: «Ya lo he hecho». El le dijo: «Entonces ve, vende todo lo que posees y repártelo a los pobres, y sígueme».

Hasta aquí nos es familiar, pero luego sigue el evangelio de los nazareos:

> Entonces el rico comenzó a rascarse la cabeza, pues no le gustó nada en absoluto. Y el Señor le dijo: «*¿Cómo puedes decir: he cumplido lo que está en la ley y los profetas? Pues en la ley está escrito: debes amar a tu prójimo como a ti mismo. Y mira: Muchos de tus hermanos, hijos de Abrahán, se cubren con harapos inmundos, mueren de hambre, y tu casa está llena de bienes, y no sale nada de ella para ellos*».

La conclusión vuelve a parecerse al relato evangélico:

> Y volviéndose a su discípulo Simón, que estaba sentado, junto a él, le dijo: «Simón, hijo de Jonás, es más fácil que un camello pase por el ojo de una aguja, que un rico entre en el reino de los cielos». Coepit dives scalpere caput suum et non placiut ei. Et dixit ad eum Dominus: Quomodo dicis, legem feci et prophetas? Quoniam scriptum est in lege: Diliges proximum tuum sicut teipsum; et ecce multi fratres tui filii Abrahae amicti sunt stercore, morientes prae fame, et domus tua plena est multis bonis, et non egreditur omnino aliquid ex ea ad eos? [1].

La opinión predominante al juzgar esta historia es que nos hallamos ante una ampliación secundaria de la versión de Mateo [2] de la historia del joven rico, en la que se hubieran añadido, por cuenta propia, una serie de sugestivos rasgos a Mt 19, 19b («ama al prójimo como a ti mismo»), quitando al mismo tiempo las palabras, consideradas escandalosas, de que sólo Dios es bueno (Mt 19, 17) [3]. Ciertamente algunos rasgos concretos podrían ser amplificaciones de tipo novelesco, como por ejemplo la descripción del disgusto del rico, que se rasca la cabeza, o la observación de que Jesús estaba sentado, y a su lado, Pedro. También la mención de un segundo rico podría ser un desdoblamiento secundario, como es el caso ciertamente de Mt 8, 28; 20, 30; sin embargo en nuestro caso todo aparece más difícil, ya que en esos dos pasajes de Mateo el motivo del desdoblamiento es que aparezca mayor el milagro, mientras que aquí no existe tal motivo. Mas bien la mención del segundo joven rico al comienzo de esta historia muestra que antes se había relatado ya el encuentro de ambos con Jesús. En todo caso, aunque se considere esta versión de la historia como una elaboración posterior de la tradición, ha de concederse que tiene colorido palestinense, como por ejeplo la expresión: «hijos de Abrahán»; el dar vida a lo inanimado en la frase de que no «sale» nada de la casa para los pobres, y el

1. Orígenes, *In Mt. Tom.* XV 14 (sólo el texto latino, p. 389 s, Klostermann [GCS 40]).
2. La redacción del evangelio de los nazareos (como era de esperar de esta obra) a la que más se acerca es a la de Mt:
   a) la pregunta: «quid bonum faciens vivam» sólo tiene correspondencia en Mt 19, 16 (en Mc y Lc entra la palabra «bueno»);
   b) «leges fac», sólo tiene correspondencia en Mt 19, 17;
   c) sólo Mt (19, 19b) menciona el mandamiento del amor al prójimo.
3. Resch, *o. c.*, 216-218; J. Wellhausen, *Einleitung in die drei ersten Evangelien*, Berlin [2]1911, 114 s, Ph. Vielhauer, en Hennecke[3] I 93. Ropes, creía al principio en su antigüedad (*o. c.*, 147 s), pero luego cambió de opinión (cf. *o. c.*, 12, n. 6).

hecho de que el que enseña está sentado. Pero aún se puede añadir toda una serie de observaciones que hacen muy difícil el negar todo valor a nuestra versión en su conjunto.

1. La palabra «hermano» experimenta en la tradición evangélica un estrechamiento, una restricción, en su sentido. En efecto, se puede mostrar que la tradición más antigua entendió esa palabra, de modo preponderante, en el sentido veterotestamentario de «compatriota del pueblo de Dios» *(Volksgenosse);* sin embargo, ya muy pronto, y siguiendo un empleo del lenguaje del primitivo cristianismo atestiguado muchas veces, la palabra se fue limitando en la tradición evangélica al «hermano cristiano», como por ejemplo en Mateo [4]. Es un signo de antigüedad que, en nuestro texto, la palabra «hermano» tiene el sentido más amplio de «correligionario (o compatriota) del pueblo de Dios» *(Volksgenosse).*

2. Comparado con las redacciones de los evangelios canónicos, el texto del evangelio de los nazareos no es, en modo alguno, una mera ampliación o perfeccionamiento, sino que muestra una notable yuxtaposición de reducción, por una parte, y ampliación, por otra [5]; a pesar de eso, no aparece esta versión como si hubiera sido compilada sin método, sino que es por sí misma un todo completo y coherente; más aún: tiene más unidad que la versión del evangelio de Mateo (que se advierte es una reelaboración de la versión de Marcos) [6]. Esto excluye la posibilidad de que nos encontremos ante una elaboración literaria de la versión de Mateo.

3. Las frases nuevas que aparecen en nuestra versión corresponden al modo típico de Jesús: al mandamiento del amor al prójimo (Lev 19, 18) le dio Jesús una sifnigicación central (Mt 22, 39 s par); la descripción de la miseria de los pobres se emparenta con Lc 16, 20 s; su carácter drástico con el Oxyrhyncus-Papyrus 840 (cf. p. 63); por lo demás, el hecho de ser hijos de Abrahán es también invocado por Jesús como motivo para prestar ayuda en las necesidades espirituales o corporales (Lc 13, 16; 19, 9). Pero con más fuerza todavía que en estos detalles se muestra el modo típico de Jesús en la seriedad incomparable con la que apela a las conciencias.

Resumiendo: estas tres consideraciones nos llevan a la conclusión de que el evangelio de los nazareos ha retenido una ver-

---

4. Cf. J. Jeremias, *Las parábolas de Jesús*, Estella-Salamanca 1970, 240 s.
5. Cf. Ropes, *o. c.*, 147.
6. J. Wellhausen, *Einleitung in die drei ersten Evangelien*, 115.

sión antigua de la historia del joven rico, que corre, paralela e independiente, junto a la utilizada por Marcos.

El hombre que, en esta variante de la historia del joven rico, está ante Jesús es un fariseo, el hombre piadoso que tiene buena opinión de sí mismo. Está convencido de que ha cumplido toda la ley; no tiene nada que reprocharse; ha hecho todo lo que se puede exigir a un hombre respetable. Jesús le pone a prueba: el salvador de los pobres le coloca ante la necesidad de los pobres, y a la vista del más sencillo de los deberes fraternos, el hombre se echa atrás completamente. Entonces Jesús se torna durísimo, con una dureza que no tienen sus palabras cuando se trata de pecadores públicos, sino con una dureza que emplea con los hombres que se tienen por piadosos, justos y respetables, por cumplidores de la voluntad divina. Se queja con amargo reproche: ¿cómo puedes decir: he cumplido la voluntad de Dios, he cumplido con mi deber, soy un hombre respetable? Y ahí hay muchos de tus hermanos, participantes de las promesas del pueblo de Dios, «amicti stercore, morientes prae fame»: cubiertos de harapos, muriendo de hambre, ¡y tu casa está llena de muchos bienes! ¿Cómo puedes decir: he cumplido la voluntad de Dios?

2. *El altercado de Jesús con un fariseo, jefe de sacerdotes, en el atrio del templo*

Hemos mencionado en la p. 20 una hoja de pergamino proveniente del librito de los evangelios, usado como amuleto; es decir: el Oxyrhyncus-Papyrus 840 encontrado en 1905 [7]. En las

7. B. P. Grenfell - A. C. Hunt, *Oxyrhyncus Papyri* V, London 1908, n.° 840; *Fragment of an uncanonical gospel*, Oxford 1908, A. Büchler, *The new «Fragment of an uncanonical gospel»*: JQR (1907/1909-1908) 330-346; E. J. Goodspeed, *The new gospel fragment from Oxyrhyncus*: Biblical World (1908) 142-146; E. Preuschen, *Das neue Evangelienfragment von Oxyrhyncos*: ZNW (1908) 1-11; A. Harnack, *Ein neues Evangelienbruchstück*, en *Wissenschaft und Leben* II, Giessen 1911, 237-250; E. Schürer, *Fragment of an uncanonical gospel* (Rezension zu Grenfell-Hunt): ThLZ (1908) 170-172; H. B. Swete, *Zwei neue Evangelienfragmente* (KlT31), 1908, 3-9; A. Sulzbach, *Zum Oxyrhyncus-Fragment*: ZNW (1908) 175 s; L. Blau, *Das neue Evangelienfragment von oxyrhyncus buch-und zaubergeschichtlich betrachtet*: ZNW (1908) 204-215; A. Marmorstein, *Einige Bemerkungen zum Evangelienfragment in Oxyrhyncus Papyri V n.° 840*: ZNW (1914) 336-338; H. Waitz, en Hennecke[3], 18 s; E. Riggenbach, *Das Wort Jesu im Gespräch mit dem pharisäischen Hehonpriester nach dem Oxyrhyncus-Fragment V n.° 840*: ZNW (1926) 140-144; J. Jeremias, *Der Zusammenstoss Jesu mit dem pharisäischen Oberpriester auf dem Tempelplatz*, en *CN XI in honorem A. Fridrichsen*, Lund-Kopenhagen 1947, 97-108; Id., en Hennecke[3] I, 57 s.

líneas 1-7 de esta página, se halla la conclusión de un discurso
que tuvo en Jerusalén (cf. sobre este punto p. 107 s) y el siguiente
relato, referente a Jesús, desconocido hasta ahora:

   7 Y él los [8] llevó
      consigo al recinto santo [9] mismo
      y se paseó por el atrio del templo. Y salió a su encuentro
10 un fariseo, jefe de sacerdotes *(Oberpriester)*, por nombre
      Leví, y habló
      al salvador: «¿Cómo se te ha ocurrido
      entrar en este recinto santo
      y ver estos santos utensilios, sin haberte bañado y
15 sin que tus discípulos (ni siquiera) se lavasen los pies?
      ¡Por el contrario, has manchado
      el templo, entrando en este santo lugar,
      siendo así que nadie, sin haberse bañado primero,
      y sin haberse cambiado el vestido,
20 puede entrar, y puede osar
      contemplar estos objetos sagrados! En el acto se paró
      el salvador con sus discípulos y le respondió:
      «*Y tú ¿qué?; tú estás también aquí en el templo. ¿Estás tú limpio?*».
      Aquél le replicó: «Sí, estoy limpio, pues me he bañado
25 en la piscina de David, bajando por una escalera
      y subiendo por la otra, y me he puesto vestidos blancos y limpios,
      y sólo entonces he venido aquí
      y he contemplado estos objetos sagrados».
30 Entonces le dijo el salvador:
      «*¡Ay de vosotros, ciegos, que no veis!*
      Te has bañado en esta agua vertida,
      en la que día y noche están
      los perros y los cerdos, y te has lavado
35 *y has restregado la piel exterior, la*
      que también las cortesanas y tañedoras de flauta
      ungen, bañan, friccionan y
      pintan para excitar la
      concupiscencia de los hombres, mientras que por dentro
40 *están llenas de escorpiones y de*
      [malda] des [de todo tipo]. Yo en cambio y
      [mis discípulos], de quienes has dicho, que no nos hemos
      [bañado, nos hemos ba]ñado en el
      agua [viva, pura (?), que desciende del
45 *Padre que está en el cielo (?)]. Pero, ¡ay de aquellos...*».

    7 Καὶ παραλαβὼν αὐτοὺς
        εἰσήγαγεν εἰς αὐτὸ τὸ ἁγνευτήριον καὶ
        περιεπάτει ἐν τῷ ἱερῷ. Καὶ προσε[λ-]

8. A los discípulos.
9. Ἁγνευτήριον. Con esta palabra, no existente en el griego judaico, se
quiere significar, con la mayor probabilidad, el atrio interior, o dicho más
exactamente el atrio de los israelitas; tal puede deducirse de las prescripciones
mencionadas en la línea 12 ss para la entrada en el hagneuterion (cf. p. 59 s).

10 θὼν Φαρισαῖός τις ἀρχιερεὺς Λευ[εὶς]
τὸ ὄνομα συνέτυχεν αὐτοῖς καὶ ε[ἶπεν]
τῷ σωτῆρι · Τίς ἐπέτρεψέν σοι πατ[εῖν]
τοῦτο τὸ ἁγνευτήριον καὶ ἰδεῖν [ταῦ-]
τα τὰ ἅγια σκεύη μήτε λουσα[μ]έν[ῷ] μ[ή-]
15 τε μὴν τῶν μαθητῶν σου τοὺς π[όδας βα-]
πτισθέντων; ἀλλὰ μεμολυ[μμένος]
ἐπάτησας τοῦτο τὸ ἱερὸν, τ[όπον ὄν-]
τα καθαρόν, ὃν οὐδεὶς ἄ[λλος εἰ μὴ]
λουσάμενος καὶ ἀλλά[ξας τὰ ἐνδύ-]
20 ματα πατεῖ, οὐδὲ ὁ[ρᾶν τολμᾷ ταῦτα]
τὰ ἅγια σκεύη. Καὶ σ[ταθεὶς εὐθὺς ὁ σωτὴρ]
σ[ὺν τ]οῖς μαθηταῖ[ς αὐτοῦ ἀπεκρίθη·]
Σὺ οὖν ἐνταῦθα ὢν ἐν τῷ ἱερῷ καθα-
ρεύεις; λέγει αὐτῷ ἐκεῖνος · Καθαρεύω · ἐχουσά-
25 μην γὰρ ἐν τῇ λίμνη τοῦ Δαυεὶθ καὶ δι' ἑτέρας κλίμακος κατελθὼν δι' ἑτέρας
ἀ[ν]ῆλθον, καὶ λευκὰ ἐνδύματα ἐνε-
δυσάμην καὶ καθαρά, καὶ τότε ἦλθον
καὶ προσέβλεψα τούτοις τοῖς ἁγίοις
30 σκεύεσιν. Ὁ σωτὴρ πρὸς αὐτὸν ἀπο-
[κρι]θεὶς εἶπεν · Οὐαὶ τυφλοὶ μὴ ὁρῶν-
υ[ε]ς · σὺ ἐλούσω τούτοις τοῖς χεομένοις
ὕ[δ]ασι(ν), ἐν οἷς κύνες καὶ χοῖροι βέβλην-
[ται] νυκτὸς καὶ ἡμέρας · καὶ νιψάμε-
35 [ν]ος τὸ ἐκτὸς δέρμα ἐσμήξω, ὅπερ
[κα]ὶ αἱ πόρναι καὶ α[ἱ] αὐλητρίδες μυρί-
[ζ]ου[σιν κ]αὶ λούουσιν καὶ σμήχουσι
[καὶ κ]αλλωπίζουσι πρὸς ἐπιθυμί-
[αν τ]ῶν ἀνθρώπων, ἔνδοθεν δὲ ἐκεῖ-
40 [ναι πεπλ]ήρω<ν>ται σκορπίων καὶ
[πάσης ἀδι]κίας. ἐγὼ δὲ καὶ οἱ
[μαθηταί μου,] οὓς λέγεις μὴ βεβα-
[μμένους, βεβά]μμεθα ἐν ὕδασι ζῶ-
[σι καὶ καθαροῖς τοῖ]ς ἀλθοῦσιν ἀπὸ [τοῦ]
45 [..............ἀλ]λὰ οὐαὶ [τ]οῖς... [10].

Esta perla del arte narrativo evangélico, no ha encontrado hasta hoy la atención que merece. En efecto, la publicación del hallazgo (1907) tuvo lugar bajo una estrella desfavorable, ya que el editor, fiándose de la opinión de un especialista tan eminente como E. Schürer, lo consideró un producto de la fantasía, suponiendo que el autor no tenía ningún conocimiento de las verdaderas instituciones del judaísmo del tiempo de Jesús, especialmente del templo de Jerusalén, y de su ritual. De este modo

10. Texto según H. B. Swete, *Zwei neue Evangelienfragmente* (KlT 31) 1908, 4 s, con pequeñas variantes; Swete completa en la línea 36 μυρί[ζ]ου[σαι, en l. 43 s ζω]ῆς αἰωνίου τοῖς κα]τελθοῦσιν lo que suena demasiado joánico para nuestro texto.

terminó el hallazgo para la mayoría. ¡Sin motivos! ya que los argumentos empleados entonces y después, ya no pueden seguir manteniéndose. Ya es, pues, hora de que el relato del encuentro de Jesús con el jefe de sacerdotes sea liberado del olvido, en el que había caído sin motivo. Examinaremos brevemente esas objecciones [11].

1. La mención del fariseo Leví, *archiereus* (1.10), pudo ser durante tanto tiempo motivo de tropiezo sólo porque, equivocadamente, se traducía la palabra *archiereus* por «sumo sacerdote», y en realidad no existió nunca un sumo sacerdote por nombre Leví. Pero hoy día sabemos que la palabra *archiereus* no solamente significa «sumo sacerdote» *(Hoherpriester)*, sino también «sacerdote con cargo sobre otros sacerdotes» *(Oberpriester)* [12]; en nuestro texto ésa es la traducción que exige la falta de artículo determinado. Este Leví que dirige la palabra a Jesús es por consiguiente un superior (jefe de sacerdotes: *N. del t.*), lo que significa que era tesorero del templo, o bien, guardián del templo [13]. Ambas funciones concuerdan muy bien con su actitud. Si es el tesorero, es el custodio de los utensilios sagrados que está mirando Jesús; si es guardián, es responsable del orden en el templo; esto último es lo más probable (cf. p. 64 s). Por lo demás, también está confirmado por documentos que algunos sacerdotes eran miembros de las comunidades de fariseos [14].

2. El hecho de que Jesús contemplara los utensilios del templo (1.13 s, cf. 20 s) sólo pudo aparecer durante tan largo tiempo como prueba del desconocimiento que el autor tenía del ritual del templo de Jerusalén, en virtud de que se suponía que los utensilios que contemplaba Jesús se encontraban en el santo del templo. Esta era la opinión general, aunque resulte curioso. Si fuera eso lo que dice el texto, ciertamente debíamos considerarlo como carente de valor. Pero en realidad en el texto se considera de muy distinta manera esa contemplación de los utensilios sagrados. Los atrios del templo estaban rodeados de cámaras que guardaban los fabulosos tesoros del mismo. También había diversas cámaras destinadas a los utensilios, que servían para guardar los 93 utensilios de oro y plata que eran necesarios cada día

---

11. Justificaciones más concretas y fuentes más documentadas presento en el ensayo ofrecido en el *Fridrichsen-Festschrift* citado en la p. 56, nota 7 y que seguiré, en parte, en estas páginas.
12. J. Jeremias, *Jerusalem zur Zeit Jesu* II, Göttingen ²1958, 33-40.
13. *Ibid.*, 23-33.
14. *Ibid.*, 127 s.

para los sacrificios [15], así como los utensilios de repuesto [16] y finalmente, los objetos ofrecidos como don al templo [17]. En este último caso, el donante mismo llevaba su don a la cámara de los utensilios, de donde se puede deducir que era accesible a los laicos. Por tanto, es un detalle perfectamente posible, que, en nuestro texto, Jesús contemple los utensilios sagrados junto con sus discípulos.

3. La descripción del ceremonial del templo realizada por el jefe de sacerdotes, Leví, parece suscitar una dificultad real (1.12-21). Según sus palabras, para que los laicos entren en el «Hagneuterion» [18] es necesario: a) un baño completo (1.14, 19) o baño de inmersión y   b) un cambio de vestido (1.19). ¿Qué decir sobre esto?

a) Es cosa cierta que cualquier visitante del templo *(Tempelplatz)* que quisiera transponer aun sus límites más externos, tenía que dejar su bastón de viaje, zapatos y bolsa, y tener cuidado de que sus pies estuviesen libres de polvo [19]. También es cierto que el atrio de los israelitas (a diferencia del atrio de los gentiles y del de las mujeres) sólo podía ser pisado por los israelitas que se encontraran en situación de plena pureza levítica: nadie, dice la Mischna, puede pisar el atrio interior, «que, después de la purificación de una impureza levítica, no haya ofrecido el sacrificio requerido» [20]. Y de modo parecido dice Josefo que «sea prohibido el acceso al atrio interior a aquellos hombres que no se hayan purificado completamente» [21]. Según Jn 11, 55, la práctica se desarrollaba así: los peregrinos se arreglaban de forma que ya siete o diez días antes del comienzo de la fiesta estaban en Jerusalén a fin de «santificarse», es decir: librarse de las impurezas que hubiesen contraído desde su última visita al templo. Para esto hacían falta siete días [22]. No es seguro si, terminadas las ceremonias de purificación, a las que pertenecía un baño completo,

15. Tam., 3, 4.
16. Chagh. 3, 8.
17. Scheq. 5, 6.
18. Cf. p. 57, nota 9.
19. Ber. 9, 5.
20. Kel. 1, 8.
21. *Bell. Jud.* V 227. También: c. Apionem II 104: sólo podían entrar en el atrio de los israelitas «masculi Judaeorum mundi existentes atque purificati».
22. En todo caso en la impureza del contacto con un cadáver (Núm 19, 12.19). Pero dado que hacía impuro no sólo el contacto con un cadáver. sino también el pasar por una tumba (Mt 23, 27) o el entrar en una casa pagana (Jn 18, 28), prácticamente todo peregrino debía hacerse la cuenta de que desde su última peregrinación había contraído alguna impureza ritual.

era necesario tomar otro baño el día anterior a la visita del atrio de los israelitas [23]; evidentemente la regla habitual era: «quien ha tomado un baño completo, sólo necesita lavarse los pies» (Jn 13, 10) [24].

b) Si las líneas 12 a 19 de nuestro fragmento no están en contradicción con todo lo dicho hasta ahora, sin embargo se suscita una dificultad en el texto que viene a continuación: ¡en ninguna parte está atestiguando que les fuera necesario a los laicos, como requisito previo, el cambio de vestidos mencionado en la línea 19b-20! Con todo, la pregunta es si el texto realmente quiere decir que también los laicos debían cambiar de vestido antes de entrar en el atrio de los israelitas. Debe notarse una cosa: el reproche contra Jesús, que es laico, y sus discípulos (líneas 12-16) se dirige solo, propiamente hablando, a que habían omitido el baño completo y el lavarse los pies. En cambio, en las líneas 18 a 21 se describen completamente los pasos de la purificación para entrar en el atrio interior, ésta exige: 1) en las líneas 18-19a el baño (para todos); 2) en las líneas 19b-20 el cambio de vestidos (de los sacerdotes oficiantes). En otras palabras: la conjunción «y» en la línea 19 tiene el sentido (cosa frecuente en las lenguas semíticas) de «o bien» [25]. No se podría hablar ni siquiera de una expresión

23. Así el precepto rabínico en Joma 30 a b.
24. El texto largo está sobreabundantemente atestiguado en Jn 13, 10a; εἰ μή τοὺς πόδας falta únicamente en S c vg-codd Orig. La frase, tan controvertida, tiene en el contexto pleno sentido si se toma literalmente, sin relación simbólico-alegórica al bautismo o a la cena del Señor. Al ruego de Pedro de lavarle también las manos y la cabeza, responde Jesús: el que (como peregrino) ha tomado el baño completo (prescrito), sólo necesita lavarse los pies para estar limpio. Sólo en la última palabra acerca de Judas (10b-11) se habla de pureza en sentido figurado.
25. Las lenguas semíticas no disponen más que de la conjunción wᵉ (= y) para traducir nuestro: «o bien», «respectivamente», ya que la conjunción ô (= o), tiene una significación disyuntiva mucho más fuerte. Por esta razón, casi siempre se expresan las alternativas con la conjunción copulativa. Todavía no se ha investigado este modismo en su significación para el nuevo testamento.
Ejemplos del antiguo testamento: Gén 26, 11: «¡Cualquiera que toque a este hombre y (= o bien) a su mujer, será muerto!»; Ex 12, 5, a propósito del cordero pascual: «tomaréis un cordero y (= o) un cabrito»; 21, 17: «el que maldiga a su padre y (= o bien) a su madre, debe morir»; Lev 21, 14; 1 Sam 17, 34: «vino un león y (= o) un oso»; Is 44, 28: «reconocerán qué palabra se cumplirá: la mía y (= o) la suya» (cf. W. Gesenius - F. Buhl, *Handwörterbuch über das Alte Testament*, Leipzig ¹⁵1910, 187b; L. Köhler - W. Baumgartner, *Lexicon in Veteris Testamenti libros*, Leiden 1953, 245 a).
Pueden verse en M. H. Segal, *A Grammar of mishnaic hebrew*, Oxford 1927, 501, 235, ejemplos tomados del hebreo de la Mischna.

desafortunada, pues para todo el que conociera el ritual del templo de Jerusalén, estaba perfectamente claro que la «y» de la línea 19 no tiene el significado de coordinación sino, de alternativa («o», «respectivamente», «o bien»). Al contrario: la naturalidad con que se supone en la línea 19 el conocimiento del ritual del templo de Jerusalén (el baño como deber de los laicos, cambio de vestido como deber suplementario del sacerdote oficiante antes de penetrar en el atrio interior) es precisamente un signo de la antigüedad de la narración que nos ocupa.

4. El hecho de que la piscina de David en Jerusalén (línea 25) no esté atestiguada en ninguna parte, no significa nada en contra de su existencia. Conocemos también otra piscina que comparte su suerte con la de nuestro caso, y cuya existencia ha sido demostrada con evidencia en nuestros días: la piscina de Bethesda tampoco es mencionada en la literatura de la época, fuera de Jn 5, 2. El autor de este libro pudo comprobar personalmente en 1931-1932 cómo, después de laboriosas excavaciones, bajo 25 metros de escombros, aparecía la prueba definitiva de la existencia de la desaparecida piscina de Bethesda, un gran estanque doble de cerca de 5.000 m.^{2}, a 100 metros al norte del templo [26]. De los dos estanques, separados por un muro de piedra, pudo muy bien servir uno para los hombres, y otro para las mujeres. Se podría pensar también que el primero llevaba el nombre de piscina de David; desde luego, la proximidad inmediata al templo sugiere que ambas piscinas de Bethesda eran utilizadas por los visitantes del templo y por los sacerdotes para los baños purificatorios, tanto más cuanto que Jerusalén no contaba con muchas instalaciones de este tipo. La sospecha de que uno de los dos estanques de Bethesda era la piscina de David (línea 25), ha reci-

---

Ejemplos del nuevo testamento: Mc 3, 22: «Ellos dijeron: está poseído por Beelzebub, o (καί) con la ayuda del príncipe de los demonios expulsa a los demonios (los reproches de estar poseído por el demonio y de tener pacto con el demonio son dos cosas diferentes, y tienen distinto autor); 3, 35: «El que hace la voluntad de Dios es mi hermano o (καί) mi hermana o (καί) mi madre» (por «hermano» entiende Jesús los discípulos masculinos; por «hermana» y «madre», los femeninos); 4, 8.20: «Parte dio el 30 (καί) parte el 60 (καί) parte el 100 por uno»; Mt 12, 37 (alternativa con καί); 21, 23 (comparado con Mc 11, 27 y Lc 20, 2); 22, 6: «Ellos maltrataron o (καί) mataron a sus siervos» (el evangelista piensa en los mensajeros de la nueva alianza, cuyo destino fue bien diferente); Lc 13, 18 (comparado con Mc 4, 30): 14, 26 (comparado con Mt 10, 37); cf. también Rom 1, 5 ἐλάβομεν χάριν καὶ ἀποστολήν (en el caso de que no se trate de una hendíadis, al decir χάριν Pablo piensa en la comunidad, y al decir ἀποστολή, en sí mismo y sus colaboradores).

26. J. Jeremias, *Die Wiederentdeckung von Bethesda*: *Johannes 5, 2* (FRLANT N. F. 41), Göttingen 1949.

bido recientemente una confirmación inesperada del cilindro de cobre de Qumrán. En la columna XI, línea 12 leemos: «en *Bet Eschdatain*, en la piscina, a la entrada del pequeño estanque...»[27]. Sin duda se trata de Bethesda, tanto más que la expresión *je mumit* (diminutivo de *jam* = mar, es decir: el pequeño mar, el pequeño estanque) hace referencia a las dos partes del estanque. El cilindro (o rollo) de cobre hace derivar el nombre de ese lugar, Bethesda (como ya lo habían hecho los autores medievales), siguiendo una etimología popular, de *'aschad* = verter, derramar, entendiendo pues el nombre como «lugar del agua vertida». De este modo se podría solucionar el enigma que presentaba la sorprendente, y hasta hoy no explicada, expresión de nuestro papiro: «te has bañado en el agua vertida» (líneas 32 s). Está jugando, como ahora podemos ya saber, con el significado de Bethesda como «lugar del agua vertida»[28].

5. En la línea 23 se dice, traduciendo literalmente: «tú te has lavado en esa agua vertida, en la que están, día y noche, los perros y los cerdos». Parece que aquí se expresa una doble imposibilidad: que hubiera cerdos en Jerusalén, y que el jefe de sacerdotes se bañase en un estanque donde había cerdos y perros. Sin embargo, no hay que entender esta frase literalmente, sino que Jesús con esta drástica expresión «con los perros y los cerdos» designa a los hombres impuros (como en Mt 7, 6; 2 Pe 2, 22; cf. Ap 22, 15); ¡cómo va a limpiar un agua en la que se bañan hombres impuros, sin dejar por eso de ser impuros! Por lo tanto, también esta quinta objeción contra la autenticidad, carece de fundamento.

6. Yo no veo que las severas palabras de Jesús contra las cortesanas y las tocadoras de flauta (líneas 34 s) muestren un desprecio hacia ellas que sea ajeno al modo de pensar de Jesús[29]. No se debe olvidar, que la bondad con la que Jesús llama hacia sí a los miserables y pecadores, está respaldada por al seriedad

27. J. T. Milik, *Le rouleau de cuivre de Qumrân (3Q 15)*: R B (1959) 321-357; Ibid., 328 (traducción) y 347 (explicación); J. M. Allegro, *The treasure of the Copper Scroll*, London 1960, 53, propone leer *bbyt 'šwḥyn*, lo que no es probable según el facsímil (p. 52). En la p. 166 Allegro mismo añade que el texto «as it stands» presenta una d, por tanto lee: *'šdtyn*.
28. Finalmente, habla también a favor de la identificación de la piscina de David con uno de los dos estanques de Bethesda, el hecho de que ésta es designada en la línea 25 de nuestro papiro, como λίμνη. Pues concuerda con lo que dice Eusebio en su *Onomastikon* explicando Βηζαθά como λίμναι δίδυμοι (p. 58, 23 Klostermann [GCS 11, 1]; cf. J. Jeremias, *Die Wiederentdeckung von Bethesda*, 11 s) y con la expresión *je mumit* usada por el cilindro de cobre.
29. H. B. Swete, *Zwei neue Evangelienfragmente*, 4.

de la inapelable llamada a la penitencia, y comprende, por supuesto, el horror ante el oficio de las prostitutas. Ciertamente, la línea 34 s corresponde plenamente al modo de hablar de Jesús. En efecto, si se compara las líneas 34 s con el reproche que Jesús hace a los fariseos en Mt 23, 27 s («¡Ay de vosotros, fariseos hipócritas!» [30]. Pues os parecéis a sepulcros blanqueados, que por fuera parecen hermosos, pero por dentro están llenos de huesos de muertos y de impurezas de todas clases. Así, de fuera, parecéis justos a los hombres, pero por dentro estáis llenos de hipocresía e iniquidad») se encuentra una gran concordancia, tanto formal, como cuanto al contenido. En uno y otro caso encontramos la misma contraposición entre un hermoso exterior, y un interior reprensible; la misma severidad y la misma dureza para estigmatizar la mendacidad con la que los hombres, mediante su apariencia exterior, engañan sobre la verdad de su interior.

7. Otra objeción se refiere a la conclusión del texto: que Jesús se incluya junto con sus discípulos, en las líneas 41 s necesitado y partícipe de la verdadera purificación, muestra del modo más claro posible el carácter apócrifo del fragmento [31]. Aquí es donde, por primera vez, tropezamos con una objeción de auténtico peso. Verdad es que hay que tener mucho cuidado con la pretendida «necesidad de purificación» de Jesús; en efecto, no se puede pasar por alto que en las líneas 42-44 nos hallamos ante el mismo juego de palabras que en Mc 1, 8; Jn 1, 33; Hch 1, 5; 11, 16; así como en estos pasajes se contraponen el bautismo de agua y el «bautismo» del espíritu, así Jesús, en nuestro texto, contrapone el baño en el agua y la «inmersión» en el agua de vida [32]: así pues no está hablando en modo alguno de su purificación, sino de su participación en el mundo puro de la consumación realizada en Dios. Lo cual, como se ve, es muy diferente. Sin embargo, hace pensar el hecho de que Jesús se englobe con sus discípulos en un «nosotros». Ciertamente se puede recordar que Jesús, acudiendo al bautismo de Juan, se sometió al mismo baño que los que después habrían de ser sus discípulos, que posiblemente lo

---

30. Mt 23, 27: «escribas y fariseos». Los escribas faltan, con razón, en el paralelo Lc 11, 44 (En todo el discurso de Mt 23, como muestra la comparación con Lc, fluyen juntos los reproches contra los teólogos y contra los miembros de las comunidades de fariseos; en Lc se distingue cuidadosamente, con razón, entre los distintos reproches de Jesús contra los dos grupos. Cf. J. Jeremias, *Jerusalen zur Zeit Jesu* II, Göttingen ²1958, 123 s).

31. E. Riggenbach, *Das Wort Jesu im Gespräch mit dem pharisäischen Hohenpriester*: ZNW (1926) 140-144, y allí 143 s.

32. Cf. Jn 4, 14; 7, 38; también Is 43, 20; 44, 3; 55, 1; Ez 47, 1 s; Jl 3, 1; 4, 18; Zac 13, 1; 14, 8; Ap 22, 1 s.

habían sido antes de Juan [33], y también que, al menos a algunos de ellos, les anunció el mismo «bautismo» que a él le esperaba (Mc 10, 38); pero, sin embargo, tenemos pocos testimonios en los evangelios sinópticos de que él se incluya en un «nosotros» común [34]. Por eso tendríamos que ver en las líneas de conclusión, 41-45, una redacción tardía; también el agua de vida (líneas 43 s) recuerda a Jn 4, 10 s; 7, 37 s; Ap 22, 17.

Si ninguna de las objeciones que se levantan contra nuestro texto, a excepción de la última, son sólidas, todavía hemos de añadir que poseemos un texto rabínico, que confirma, en más de un aspecto y de modo sorprendente, la situación descrita en nuestro texto.

> (El sacerdote) Schim'on (por sobrenombre) El Honesto dijo en presencia de R. Eli'ezer (ben Hyrkanos, de cerca de 90 años): «He pisado el espacio entre el templo y el altar (de los holocaustos) sin haberme lavado (previamente) las manos y los pies». Aquél respondió: «¿Eres mejor que el sumo sacerdote (al que tampoco le es permitido)?». El calló. Aquél continuó: «¿Te avergüenzas de reconocer que (aun) el perro del sumo sacerdote es mejor que tú?». El le respondió: «Rabbí, tú lo has dicho (es decir: tienes razón)» [35]. Aquél continuó: «¡Por el servicio del templo! ¡Aun a un sumo sacerdote le hubieran golpeado la cabeza con bastones! ¿Cómo te has arreglado para que el vigilante *(ba'al happul)* no te haya detenido?» [36].

Aquí, en esta frase del final, se presenta como posible, la misma situación exactamente, que en nuestra historia sucede realmente: el vigilante interpela a un hombre que entra en el patio del templo sin haberse lavado las manos y los pies. Si se añaden los numerosos semitismos de nuestro texto [37], así como la semejanza de vocabulario y estilo con los sinópticos [38], y si se une ade-

33. Así Jn 1, 35. Obsérvese también que los discípulos no fueron bautizados el día de pentecostés.
34. Por ejemplo, Mc 10, 33 par; Lc 22, 8. No se puede incluir el padrenuestro por ser una oración destinada a los discípulos.
35. Cf. Mt 26, 25.64; 27, 11.
36. Tos. Kelim B.Q.1, 6 (ed. Zuckermandel 569, 22 s). Cf. G. Dalman, *Der zweite Tempel zu Jerusalem* (PJ 1909), 35; Billerbeck I, 990.
37. Testimonios en el *Fridrichsen-Festschrift* (cf. p. 56, n.° 7).
38. Línea 7: παραλαβὼν οὐτούς: cf. Mc 10, 32; Lc 9, 28; 18, 31, etc.; línea 8: περιεπάτει ἐν τῷ ἱερῷ: cf. Mc 11, 27; también Jn 10, 23; líneas 15 s: βαπνίζειν dicho también de los ritos judíos de purificación en Mc 7, 4; v. 1; Lc 11, 38; línea 31 s: a propósito de οὐαί compárense las imprecaciones de Jesús en los sinópticos, sobre el reproche de ceguera (Mt 15, 14; 23, 16 s, 19.24.26); línea 33: la yuxtaposición de κύνες y χοῖροι también en Mt 7, 6; líneas 33 s: βέβληνται «yacen» también en Mt 8, 6; 9, 2; Mc 7, 30; línea 34: νυκτὸς καὶ ἡμέρας: cf. Mc 4, 27; 5, 5; Lc 2, 37; líneas 34 s: la contraposición de pureza externa e interna también en Mt 23, 25 ss.

más que nuestro relato, aun en lo conceptual, se encuentra plenamente dentro de la esfera de los evangelios sinópticos [39] llegaremos a la conclusión de que nos encontramos ante una antigua tradición, marcada por colorido local jerosolimitano, y muy cercana al espíritu de Mc 7, 1 s.

Una vez más es un fariseo, el que se pone frente a Jesús, esta vez atacando. El jefe de sacerdotes Leví, fariseo, que evidentemente desempeña el oficio de vigilante *(ba'al happul)* en el atrio de los israelitas, actúa plenamente consciente de sus derechos y de su deber cuando interpela a Jesús, porque él y sus discípulos no han observado el ceremonial del templo. Los discípulos ni siquiera se han lavado los pies (así dice él), antes de entrar en el santo (líneas 15 s); sin embargo el reproche principal va dirigido a Jesús, ya que él es el responsable de sus discípulos. En la construcción de la frase ha retenido el desconocido evangelista algo de la indignación del jefe de sacerdotes ante el desacato cometido contra los santos lugares.

El texto no tiene ninguna explicación del proceder de Jesús. ¿Desprecia acaso el santo? De ningún modo, sino que los motivos de Jesús hay que deducirlos de Mc 7, 6-8: la prescripción de que aun los limpios debían tomar un baño completo antes de entrar en el patio de los israelitas, no se basaba en la torá; era más bien (como la prescripción para los laicos de lavarse las manos antes de comer: Mc 7, 1 s) [40] una determinación rabínica, que por lo demás todavía a comienzos del siglo II se discutía [41]. Ahora bien, Jesús había rechazado drásticamente las prescripciones rabínicas por ser «preceptos humanos» (Mc 7, 8), y no los observaba a plena conciencia.

Jesús no se defiende, sino que responde con una contrapregunta, muy breve: «¿Y tú, qué? Tú también estás en el templo» (líneas 23 s). ¿Estás realmente limpio, Leví?

A la respuesta, afirmativa por supuesto, del jefe de sacerdotes, remitiéndose a su baño en la piscina de David, hecho con las debidas precauciones (es decir: usando antes del baño la escalera de los impuros, y después la de los puros) y a su cambio de vestidos, replica Jesús con una imprecación: «¡Ay de vosotros, ciegos [42], que no veis!» (líneas 31 s). ¿Qué es lo que no ve Leví?

39.　A. Harnack, *Aus Wissenschaft und Leben* II, Giessen 1911, 243 s.
40.　Billerbeck I, 695 s.
41.　En Joma 30 a b. D. Hoffmann, en *Mischnajot* VI, Wiesbaden 1933, 13, nota 52.
42.　Cf. Mt 15, 14; 23, 16 s.19.24.26. «Ceguera» equivale a «obstinación»; cf. Is 6, 9 s (Jn 12, 40).

¡Que su pureza, de la que está tan seguro, no es tal pureza! ¡Que está impuro! Jesús ha de abrirle los ojos. Con una terrible dureza, que en nuestros evangelios sólo es sobrepasada por Mc 7, 19 (también se trata de una disputa sobre pureza) y en la que se expresa toda la ira de Jesús contra la autojustificación farisaica, muestra Jesús al jefe de sacerdotes, de dos maneras, lo que de verdad vale su pureza. Primero: Leví se ha bañado en agua externa; ¡como si eso pudiera purificar! Los hombres sucios, tan impuros por dentro como perros y cerdos, yacen día y noche (se supone la noche, porque el día se contaba desde la puesta del sol) [43] en esa agua, permaneciendo como estaban: impuros (líneas 32-34). Segundo: Leví ha limpiado el cuerpo. ¡Como si eso fuese pureza! También hacen eso las prostitutas y las tocadoras de flauta, al servicio del pecado, teniendo el interior lleno de escorpiones venenosos y maldad de todo tipo (líneas 34-41). Esa supuesta pureza es engañarse a sí mismo, y engañar a los hombres; es mentira.

Pero nosotros (las líneas finales 41-45 presentan a Jesús y a sus discípulos juntamente) a los que tú reprochas que no nos hemos purificado con el baño de inmersión, nos bañamos en el agua de vida, estamos en el tiempo salvífico de Dios; pertenecemos a su mundo nuevo y puro. Pero ¡ay de aquéllos... (que se tienen a sí mismos por puros)!

¿Estás tú limpio? Este es el caso de conciencia que plantea Jesús a los fariseos, que se tienen a sí mismos por limpios. Puede ser que ante los hombres pasen por puros, pero eso no basta todavía ante Dios. ¡Ay de aquellos que en su ceguera piensan demasiado bien de sí mismos! La auténtica pureza no es obra de hombres, sino del tiempo salvífico.

3. *El hombre que trabajaba en sábado*

El Codex D tiene en lugar de Lc 6, 5, como conclusión al relato de las espigas arrancadas en sábado, la pequeña historia siguiente:

El mismo día vio a un hombre que realizaba un trabajo en sábado. Entonces le dijo:
«¡Oh, hombre! Si sabes lo que haces, eres feliz.
Pero si no sabes lo que haces, eres maldito y un transgresor de la ley».

43. Mc 4, 27; 5, 5; Lc 2, 37; Hch 20, 31; 26, 7; 1 Tes 2, 9; 3, 10; 2 Tes 3, 8; 1 Tim 5, 5; 2 Tim 1, 3.

Τῇ αὐτῇ ἡμέρᾳ θεασάμενός τινα ἐργαζόμενον τῷ σαββάτῳ εἶπεν αὐτῷ.
ἄνθρωπε, εἰ μέν οἶδάς τί ποιεῖς, μακάριος εἶ,
εἰ δέ μή οἶδας, ἐπικατάρατος καὶ παραβάτης εἰ τοῦ νόμου.

¿Es una pura invención todo este pequeño episodio (que a pesar de la brevedad de las palabras introductorias pertenece a los relatos referentes a Jesús, ya que el hecho de indicar la situación tiene una importancia esencial para comprenderlo)? Se han hecho objeciones a su contenido y a su forma.

En primer lugar, por lo que se refiere a la forma de nuestro texto, R. Bultmann [44] llama la atención sobre estos puntos: 1) que la introducción (θεασάμενος... εἶπεν) está formulada según el esquema de los apotegmas de los filósofos griegos, y 2) sobre el «agudo concepto» εἰδέναι, y concluye por tanto que nos encontramos ante un escrito helenístico. Pero, 1) la introducción puede ser también palestinense; esto se puede decir tanto del τῇ αὐτῇ ἡμέρᾳ [45] como de θεασάμενος... εἶπεν [46]. Y por lo que se refiere a 2), la aguda redacción de εἰδέναι, era sumamente usual en el lenguaje corriente palestinense [47]. Todavía se podría objetar que la locución ἄνθρωπε es un grecismo [48]; sin embargo, la comparación de Lc 5, 20 con los paralelos (Mc 2, 5 y Mt 9, 2) [49] nos previene contra el peligro de querer deducir el origen helenístico de un texto, por sóla una locución. Por otra parte, el *paralelismus membrorum*, antitético, responde al estilo palestinense, y si se

44.   R. Bultmann, *Die Geschichte der synoptischen Tradition* (FRLANT N. F. 12), Göttingen ³1958, 24.
45.   Cf. R. Sander, *Furcht und Liebe im palästinischen Judentum* (BWANT IV 16), Stuttgart 1935, excursus p. 75 s a *bo bajjom*.
46.   b. Qid. 81a y muchos documentos talmúdicos; Mc 2, 5; 10, 14; Jn 1, 38; 6, 5.
47.   Schebi'it 5, 8; Ter. 2, 2; Ned. 4, 4 (dos veces): Naz 2, 4: «hay que tener presente que»; Schebu'ot 2, 1 (seis veces); Ker. 1, 2; 4, 2: «ser consciente de». El equivalente hebreo es siempre: *jada'*. La contraposición de «saber» y «no saber», como aparece en nuestra historia relativa a Jesús, tiene un notable paralelo en Schebu'ot 1, 6 donde se habla de transgresores «conscientes» e «inconscientes» *(hoda'wᵉ lo hoda')*. Sobre εἰδέναι = «tener en cuenta» «tener presente», cf. también Mc 10, 38; Mt 20, 22.
48.   G. Dalmann, *Jesus-Jeschua*, Leipzig 1922, 183; *Ergänzungen und Verbesserungen zu Jesus-Jeschua*, Leipzig 1929, 13; *Worte Jesu* I, Leipzig ²1930, 32, 370; P. Joüon, *L'évangile de Notre-Seigneur Jésus-Christ* (Verbum Salutis V), Paris 1930, 327. La locución: «hombre», está atestiguada en hebreo (Miq 6, 8; Ez 2, 1 y passim; Dan 8, 17) y en árabe; pero no en arameo, hasta el presente, que yo sepa.
49.   Compárese también la redacción de la historia del joven rico ofrecida por el evangelio de los nazareos (cf. p. 53): «homo, leges et prophetas fac» con Mt 19, 17.

traduce al arameo [50] encontramos estructura rítmica y parano-
masia, así como un predominio de guturales, que, probablemente,
deben considerarse como un recurso artístico pretendido [51].

Respecto al contenido de nuestra pequeña historia, se objeta
que enseña a transgredir el sábado, cosa que Jesús no hizo en modo
alguno [52]. Ciertamente, Jesús no enseñó a transgredir el sábado;
pero, ¿es realmente el contenido de la historia enseñar a transgredir el sábado? Quien así lo entiende, coloca todo el acento
sobre la primera parte de las palabras de Jesús, sobre la bienaventuranza: feliz aquel que ha entendido el mensaje del evangelio,
de que ha pasado ya el tiempo de la observancia sabática. En realidad de verdad, hay que excluir del todo que el acento esté en la
primera parte del paralelismo antitético. Ya la áspera locución:
«¡hombre!» con la que Jesús interpela a aquel sujeto, muestra que
Jesús no quiere alabarle, sino llamarle a cuentas; asimismo el
orden y contraposición de ambas frases y (¡sobre todo!) las dos
partículas griegas «μέν... δέ» sólo permiten concluir que el acento
de estas palabras de Jesús recae sobre la segunda mitad, sobre la
maldición [53]. Muy lejos de enseñar a transgredir el sábado, estas
palabras quieren preservar al sábado de un modo ligero de trans-
gredirlo. Si hubiera debido aparecer en algún sitio, tendría que
haber sido en círculos judeo-cristianos en los que todavía se afe-
rraban al sábado (cf. Col 2, 16; también Mt 24, 20) [54]; pero precisamente el Codex D no presenta ninguna tendencia judeo-
cristiana [55]. Y, por lo demás, difícilmente hubiera podido formu-
larse en esos círculos la bienaventuranza de una transgresión del
sábado.

Más bien, desde otros puntos de vista, todo parece indicar que
nos encontramos ante una antigua tradición [56]. La historia está
situada en un ambiente en el que se observa el sábado, más aún:
en el que choca que no se le observe; es decir, en Palestina, lo
más probablemente. La forma externa de esta perícopa, la antí-

---

50. M. Black, *An aramaic approach to the gospels and acts*, Oxford ²1954,
130, n.º 1: *in jᵉda't ma 'abed att, bᵉrik att*; / *illa jᵉdat't, arur att vᵉ'abar orajjᵉta*.
51. *Ibid.*, 119 s.
52. E. Klostermann, *Das Lukasevangelium* (HNT 5), Tübingen ²1929,
y K. H. Rengstorf, *Das Evangelium nach Lukas* (NTD 3) Göttingen ⁹1962,
82, sobre Lc 6, 5.
53. Así también Ropes, *o..c.*, 125.
54. G. Hoennicke, *Das Judenchristentum*, Berlin 1908, 262.
55. J. R. Harris, *Four lectures on the western text of the new testament*,
London 1894, 1-13; Ph. H. Menoud, *The western text and thee theology of
Acts*, Oxford 1951, 19-32, allí 27 s.
56. A. Merx, *Die vier kanonischen Evangelien* II/1, Berlin 1902, 87;
Th. Zahn, *Das Evangelium des Lucas*, Leipzig-Erlangen ³⁻⁴1920, 273, n.º 20.

tesis, es precisamente un signo del modo de hablar de Jesús, a quien le gustaba hablar con esas contraposiciones[57]. La forma interna, típica de Jesús, se traiciona en la unión de libertad y respeto; en la moralidad y en la seriedad profunda.

A pesar de la escasez de indicaciones, nuestra historia deja sospechar algo de la magnitud del movimiento que Jesús ha promovido. Jesús no conoce al hombre que está trabajando, como muestra el modo de hablarle, pero cuenta con la posibilidad de que pertenezca a sus adheridos; ¡son tan numerosos que Jesús no puede ya conocerlos personalmente![58]. Por lo que hace al trabajo en cuestión, que está realizando aquel hombre, se suele hablar de trabajo en el campo[59]. Pero con esta suposición, que no es en ningún modo necesaria, se obstaculiza la comprensión de la historia. En efecto, esto querría decir que Jesús, a un hombre que estaba arando, sembrando o cosechando (¿es siquiera imaginable algo de este tipo en sábado?) le llama bienaventurado únicamente porque está transgrediendo el sábado. No; después de todo lo que sabemos sobre la postura de Jesús acerca del sábado, el tipo de trabajo que estaba realizando aquel hombre sólo podía ser el que Jesús considera digno de bienaventuranza. Evidentemente Jesús cuenta con la posibilidad de que el hombre está realizando una obra de caridad. Por ejemplo, está llevando alguna carga, a pesar de la prohibición de transportar cargas en sábado.

Jesús interpela a aquel individuo con un seco «¡hombre!» (cf. Lc 12, 14). Y la misma sequedad tiene la contraposición («o... o...»), que le propone. «Si sabes lo que estás haciendo, eres feliz». Si has entendido por qué rompo yo el sábado, curando al hombre que tenía la mano desecada (Mc 3, 1 s par), a la mujer encorvada (Lc 13, 10 s), al hombre hidrópico (14, 1 s); si tú rompes el sábado para ayudar a alguien; si tú has comprendido que para los hijos de Dios por encima de todos los mandamientos está el del amor, entonces eres feliz. Pero «si tú no lo sabes», si no eres consciente del poder para realizar esa transgresión; si piensas que permito a mis discípulos desacralizar el día de fiesta y violar las ordenaciones sagradas a la ligera; si obras por ligereza y frivolidad, entonces «eres maldito y transgresor de la ley», eres reo de muerte, has merecido ser lapidado (Núm 15, 35 s).

57.   C. F. Burney, *The poetry of our Lord*, Oxford 1925, 71-88, especialmente 83 s: el paralelismo antitético como signo más claro de las *ipsissima verba* de Jesús.

58.   La circunstancia de que el hombre se atreva a trabajar en sábado, ¿no sería una consecuencia del ministerio de Jesús?

59.   Th. Zahn, *Das Evangelium des Lucas*, 273, n.º 20.

Esta es la contraposición: existen dos modos de entender la libertad frente a las ordenaciones divinas y la moral sagrada. La primera es una libertad soberana, propia de los hijos de Dios; es la libertad de los que son libres en su conciencia, porque están atados por la caridad. La otra es la libertad de los rebeldes; la libertad de aquellos que son vencidos en su conciencia. Pues (podría decirse con Rom 14, 23): todo lo que no procede del amor, es pecado. ¿Sabes lo que estás haciendo? pregunta Jesús al hombre. Todo depende del motivo de tu obrar. ¿Eres libre den tu conciencia, o estás vencido por el mal?

Este relato de la transgresión de un día de fiesta es de extraordinaria importancia, por mostrarnos la postura de Jesús ante los días de fiesta desde un punto de vista totalmente diferente al de las narraciones sabáticas de los evangelios. La iglesia primitiva, que se hallaba en lucha contra el judaísmo y el fariseísmo, transmitió ante todo aquellos relatos referentes al sábado, que muestran a Jesús en la misma actitud de combate: atacando la interpretación casuística, y carente de amor, de la ley del reposo. Nuestra historia muestra cuál es la actitud fundamental de Jesús ante los días de fiesta; actitud que subyace bajo todos los relatos referentes a conflictos sabáticos: la voluntad de santificación auténtica del día de fiesta. Jesús dice: puede darse el caso de que alguien viole el día de fiesta, permaneciendo unido en su conciencia al Dios vivo, porque Dios le exige un acto de caridad. ¡Bienaventurado aquel que viola de ese modo el día de fiesta! Pero, en cambio, el que lo hace por ligereza o indiferencia, es maldito. ¡Así de duramente juzga Jesús sobre la violación de los días de fiesta!

Tres historias referentes a Jesús: tres preguntas. ¿Cómo puedes decir: he cumplido la voluntad de Dios? ¿Estás limpio, realmente limpio? ¿Sabes lo que estás haciendo? ¿Adivinamos algo de lo que debieron sentir los hombres, que por primera vez oyeron las historias relativas a Jesús de los evangelios, que nos son tan familiares?

II. PALABRAS APOCALÍPTICAS DE JESÚS

Existe toda una serie de palabras dispersas del Señor que tratan de los inminentes sucesos del final. Son palabras que habrían de preparar a los discípulos para lo que estaba por venir. ¿Qué está inminente? En primer lugar: ¡tribulación!

1. *Seriedad del seguimiento*

El evangelio copto de Tomás transmite como logion 82 el siguiente *agraphon*: Dijo Jesús:

> *Quien está cerca de mí,*
> *está cerca del fuego;*
> *y quien está lejos de mí,*
> *está lejos del reino.*
> Pethên eroj
> efhên etsate
> auô petwêu ïmmoj
> fwêu ïntmïntero [60].

Ya conocíamos estas palabras, gracias a los escritos de los padres de la iglesia Orígenes y Dídimo. Orígenes (muerto hacia el 253-254) dice en una de sus explicaciones del texto para las celebraciones comunitarias:

> He leído en alguna parte como palabra del salvador (y yo me pregunto si alguien tomó el papel del salvador o citó de memoria, o si, finalmente, es verdad lo que se dice); en todo caso, dice allí el salvador:
> quien está cerca de mí,
> está cerca del fuego;
> y quien está lejos de mí,
> está lejos del reino [61].

De la introducción tan sinuosa, que Orígenes pone al frente de su cita, parece deducirse, que mira con mucho escepticismo a este *agraphon*. Sin embargo la situación es muy otra. Orígenes tomó la cita de una fuente escrita («he leído») apócrifa («en alguna parte»); sin duda se trata del evangelio de Tomás. Está fuera de toda duda que Orígenes conocía el evangelio de Tomás, ya que en una homilía sobre Lucas, lo juzga severamente como apócrifo [62]. Pero si le había rechazado en esa ocasión, no podía señalarle más tarde como fuente digna de crédito, en la que basar su argumentación [63]. La prudente introducción. que evita tanto

---

60. *Evangelium nach Thomas*, Leiden 1959, 95, 17-19.

61. Origenes, *In Jer. hom. lat.* III 3 (p. 312, 25 s. Baehrens [GCS 33]): «Qui iuxta me est, / iuxta ignem est; / qui longe est a me, / longe est a regno». La primera mitad del *agraphon* se encuentra también en Orígenes, introducido mediante la locución «scriptum est», *In lib. Jesu Nave* hom. IV 3 (p. 311, 22 Baehrens [GCS 30]): «Qui approximant mihi, approximant igni». Cf. A. von Harnack, *Der kirchengeschichtliche Ertrag der exegetischen Arbeiten des Origenes* I (TU 42, 3), Leipzig 1918, 20.

62. Orígenes, *In Luc. hom.* I (p, 5, 8 s, Rauer² [GCS 49]).

63. R. M. Grant - D. N. Freedman, *Geheime Worte Jesu: das Thomas-Evangelium*, Frankfurt am Main 1960, 86.

una mención expresa del evangelio de Tomás, como que la legitimidad del *agraphon* citado se tome como fundada, podría deberse no tanto al contenido de esta sentencia, como al hecho de que se trataba de una fuente no canónica [64]. Que el contenido del *agraphon* en sí no presenta dificultad alguna para Orígenes, se deduce claramente del hecho de que en otro sitio cita la mitad de esta sentencia sin más, como palabra de la Escritura [65].

Dídimo, el ciego, de Alejandría (muerto hacia el 398), nos transmite una redacción griega del *agraphon*, cuyo tenor corresponde exactamente al texto latino de Orígenes y al texto copto del evangelio de Tomás [66]; dice así:

$$ó \ \dot{\epsilon}\gamma\gamma\dot{\upsilon}\varsigma \ \mu\upsilon\upsilon,$$
$$\dot{\epsilon}\gamma\gamma\dot{\upsilon}\varsigma \ \tauο\tilde{\upsilon} \ \pi\upsilon\rho\dot{ο}\varsigma\cdot$$
$$ó \ \delta\dot{\epsilon} \ \mu\alpha\kappa\rho\grave{\alpha}\nu \ \dot{\alpha}\pi' \ \dot{\epsilon}\mu\upsilon\tilde{\upsilon},$$
$$\mu\alpha\kappa\rho\grave{\alpha}\nu \ \dot{\alpha}\pi\grave{ο} \ \tau\tilde{η}\varsigma \ \beta\alpha\sigma\iota\lambda\epsilon\acute{\iota}\alpha\varsigma \ [67].$$

Dídimo no dice de dónde tomó el *agraphon:* no se puede probar que lo hubiera tomado de Orígenes [68]. Más probable es que tanto Dídimo como Orígenes encontrasen esta sentencia en una

---

64. También en otros casos cuida Orígenes de expresar sus acentuadas reservas, cuando se trata de usar fuentes apócrifas. Ejemplos: al citar el evangelio de los hebreos: Ropes, *o. c.*, 82, n.º 1; la *Doctrina Petri: Ibid.*, 59; los *Hechos de Pablo: Ibid.*, 61. Otros testimonios en A. von Harnack, *Der kirchengeschichtliche Ertrag der exegetischen Arbeiten des Origenes* II (TU 42, 4), Leipzig 1919, 36 s.

65. Cf. p. 72, nota 61.

66. La única diferencia entre el texto copto y el griego estriba en que el primero une las dos partes del *agraphon* con «y» *(auô)*, mientras que el segundo las contrapone con la partícula δέ. Sin embargo el copto *auô* puede considerarse una equivalencia del griego δέ.

67. Didymus, *In Psalm.* 88, 8 (MPG 39 [1863], 1488 D).

68. A. von Harnack afirma la dependencia de Dídimo con respecto a Orígenes: *Über einige Worte Jesu, die nicht in den kanonischen Evangelien stehen* (SAB 169), 1904, 170-208, 184; le siguen, sin examen crítico, los autores hasta tiempos muy recientes (por ejemplo, J. B. Bauer, *Echte Jesusworte?* en W. C. van Unnik, *Evangelien aus dem Nilsand*, 1960, 108-150, 123). El argumento principal de Harnack, a saber: que πυρός en Orígenes es un error de lectura en lugar del correcto *πατρός y que Dídimo repitió esa falta, es insostenible tomando la redacción de esta sentencia en las tradiciones copta y siria (cf. más abajo). Tampoco es argumento convincente de la dependencia de Dídimo con respecto a Orígenes que ambos introduzcan la sentencia como palabra del «Salvador» *(salvator, σωτήρ)*, teniendo en cuenta el hecho de que ese modo de introducir las palabras de Jesús estaba muy difundido, dándose también en la introducción armenia de esta sentencia (cf. más abajo). Finalmente, dado que Dídimo no cita expresamente a Orígenes, y además presenta el *agraphon* en un contexto totalmente distinto, queda sin demostrar la dependencia de Dídimo con respecto a Orígenes.

edición griega del evangelio de Tomás. En todo caso, apenas puede dudarse que Dídimo conoció el evangelio de Tomás, ya que éste se difundió en Egipto, y allí se leyó hasta bien entrado el siglo v, como puede probarse con seguridad por el manuscrito de la versión copta, escrita como muy pronto hacia el año 400. Así pues, el manuscrito copto de Nag Hamadi, Orígenes y también Dídimo representan una línea común de tradiciones con relación a nuestro *agraphon*: a saber, la del evangelio de Tomás.

Una segunda corriente de tradiciones, independiente del evangelio de Tomás, podría reconocerse en una *Explicación del evangelio* [69] armenia, que remite a un original sirio, titulado, aunque equivocadamente, con el nombre de Efrén el Sirio. Este escrito consta de tres tratados, originalmente independientes, de los cuales el segundo, que trata «de la perfecta manera de ser discípulo y de la perfecta manera de ser maestro, explicada con sentencias y parábolas de Jesús» [70], y que debe suponerse anterior al 430 d.C. [71], contiene nuestro *agraphon*. Se encuentra escrito del siguiente modo:

> Esto es lo que dijo nuestro salvador vivificante: «El que se acerca a mí, se acerca al fuego, y quien se aleja de mí, se aleja de la vida» [72].

No sabemos de qué fuente ha sacado el original sirio del tratado, este *agraphon*. En todo caso no parece haber sido el evan-

---

69. J. Schäfers presenta una traducción y comentario de este escrito en *Eine altsyrische antimarkionitische Erkärung von Parabeln des Herrn und zwei andere altsyrische Abhandlungen zu Texten des Evangeliums* (NTA 6, 1-2), Münster 1917. Las explicaciones sobre ese escrito que damos a continuación, siguen las investigaciones de Schäfers.

70. J. Schäfers, *o. c.*, 225.

71. *Ibid.*

72. Traducción de J. Schäfers, *o. c.*, 79. En la p. 185 ofrece Schäfers, en vistas a compararla con Dídimo, la siguiente traducción del texto armenio *(Or merjenay ar is, ar hur merjenay. ew or heri ê yinên heri ê i kenac)* al griego: «Ὃς ἐγγίζει πρός ἐμέ, πρὸς [τὸ] πῦρ ἐγγίζει. καὶ ὃς (o: ὃς δὲ) μακράν ἐστιν ἀπ' ἐμοῦ, μακάν ἐστιν ἀπὸ [τῆς] ζωῆς. Este texto se diferencia de las redacciones, que representan al evangelio de Tomás, especialmente en que, en lugar de «reino», hablan de «vida»: J. B. Bauer, *Das Jesuswort «Wer mir nahe ist»*: ThZ (1959) 446-450, llama la atención sobre el hecho de que también en la predicación de Jesús aparece la convertibilidad de ambos conceptos en las locuciones referentes a la entrada en el reino y la entrada en la vida (cf. Mc 9, 43.45 con 9, 47; Mt 19, 16 con 19, 23 s). Según Bauer, el logion «en sus dos formas, puede ser muy bien una palabra dispersa del Señor» (p. 447). También pudiera venir exigido por el contexto, que el tratado armenio hable de «vida», ya que inmediatamente después de citar el *agraphon*, habla de la «lista de la vida» en la que «queremos ser inscritos» (cf. también la formulación de la introducción). Y, como además, en el mismo contexto, se habla del

gelio de Tomás, ya que no puede demostrarse que haya sido utilizado en el tratado que contiene nuestro *agraphon*.

El testimonio más antiguo en favor de nuestro *agraphon* podría encontrarse en una alusión del obispo mártir Ignacio de Antioquía (muerto hacia el 110). Escribe en su carta a los de Esmirna:

> Mas, ¿por qué me he entregado a mí mismo a la muerte, al fuego, a la espada, a las fieras salvajes? —Sí, cerca de la espada, es cerca de Dios; en medio de las fieras salvajes, es en medio de Dios—. ¡Tan sólo en nombre de Jesucristo! Para sufrir con él, soporto todo, con tal que me dé fuerza [73].

La exclamación que hemos puesto entre guiones, recuerda tanto (por lo que se refiere al lenguaje, en su primera parte; y por lo que se refiere al contenido, en su totalidad) al *agraphon*, que se hace muy difícil no admitir una cierta dependencia. Ignacio pudo conocer la palabra de Jesús acerca del fuego del sufrimiento, y aplicarlo a su propia situación. También favorece esta explicación la mención del «fuego» en la interrogación introductoria. Sin embargo, como Ignacio viajaba hacia Roma, para luchar allí con las fieras salvajes [74], transformó el logion acomodándolo a la situación.

Existe un lugar paralelo, muy cercano a nuestro *agraphon* en cuanto a la forma y al contenido, que, a primera vista, pudiera dar motivo a dudar de su origen palestinense, y es este refrán atribuido a Esopo: «Quien está cerca de Zeus, está cerca del rayo» (ὁ ἐγγὺς Διός, ἐγγὺς κεραυνοῦ) [75]. ¿Nos encontramos, acaso,

---

«anhelo... de las puertas celestiales del reino», parece insinuarse que para el autor del escrito el *agraphon* estaba en una forma que correspondía a la del evangelio de Tomás. Finalmente, podría cargarse a la cuenta del traductor que el texto armenio escriba «se aproxima» en lugar de «está cerca»; el verbo sirio, tomado como base, *qᵉreb* puede tener las dos traducciones de «aproximarse» y «estar cerca» (cf. C. Brockelmann, *Lexicon Syriacum*, Halle ²1928, 691b).

73. Ignacio, *Esmir* 4, 2.
74. Sobre esto, cf. Ignacio, *Eph.* 1, 2; *Trall.* 10; *Rom* 4, 1.2; 5, 2 s. Ignacio fue despedazado realmente en Roma por las bestias salvajes, así lo atestiguan Orígenes, *In Luc Hom* VI (p. 34, 25 s, Rauer²); Ireneo, *Adv. haer.* V 28, 3 (t. II, p. 403, Harvey); Jerónimo, *De viris illustr.* XVI (p. 17, 17 s, Richardson [TU 14, 1]).
75. *Corpus Paroemiographorum Graecorum*, ed. E. L. von Leutsch-F. G. Schneidewin, I, Göttingen 1839; II, Göttingen 1851; *Ibid.*, II, 228; *Aesopica* I, ed. B. E. Perri. Urbana (I 11) 1952, 290. J. B. Bauer, en su trabajo mencionado en la p. 67, nota 72, también llamó la atención sobre el refrán griego mencionado arriba, en el texto (p. 448 s).

en nuestro *agraphon* con que se ha hecho una transposición del
refrán referente a Zeus, aplicándolo a Jesús? Esta suposición es,
por muchos motivos, imposible: 1) Si, como parece muy probable, Ignacio se refiere a palabras de Jesús, la transposición
del refrán referente a Zeus, tendría que haberse realizado en tiempos anteriores a Ignacio; lo cual es muy difícil de imaginar.
2) El refrán nos ha sido transmitido en una colección de dieciséis,
atribuidos a Esopo, contenido en una hoja del *Codex Florentinus
Laurentianus* LVIII 24, que procede del siglo xiv d.C. [76]. Aun
cuando la fuente de la que esa colección procede, ya estuviera
extendida en el siglo xi, e incluso quizá en el x o el ix [77], con todo,
el refrán referente a Zeus, contaría con los primeros testimonios
medio milenio después que nuestro *agraphon*. 3) Encontramos en
Sinesio de Cirene (370/375-413/414) [78] y en la colección de re-
franes [79] atribuida a Diógenes, un contemporáneo de Adriano,
pero que es de fecha más tardía [80]; y todavía más tarde en el
Léxico de Suidas (siglo x) [81] y en Miguel Apostolios (siglo xv) [82],
el siguiente refrán: «lejos de Zeus y (de su) rayo» (πόρρω Διός τε
καὶ κεραυνοῦ). La interpretación más sobria de ese refrán nos la
da el (Pseudo) Diógenes: es «una exhortación a huir del tirano
como del rayo [83]». También Sinesios y el *Léxico de Suidas* atestiguan ser el sentido de ese refrán, que es mejor llevar una vida
retirada y sin riesgos en paz y seguridad, que la honra de poder
vanagloriarse del parentesco de un rey o un tirano, estando con-
tinuamente expuesto a sus golpes funestos [84]. Esta forma del refrán está atestiguada por Sinesio en el siglo iv, y por el (Pseudo)

76. *Aesopica* I, 263.
77. *Ibid.*, 262.
78. Sinesio, *De regno* XI C (ed. N. Terzaghi, en *Synesii Cyrenensis hymni
et opuscula* II, Roma 1944, 24).
79. *Diogenian* VII 77b *(Corpus Paroe. Graecorum* I, 300).
80. Sobre esto, A. Pauly - G. Wissowa, *Real-Encyclopädie der classis-
chen Altertumswissenschaft* V, Stuttgart 1905, col. 782 s (Cohn).
81. *Suidae Lexicon*, ed. A. Adler, en *Lexicographi Graeci* I, Leipzig 1935,
IV, n.º 2.086 (p. 177 Adler).
82. Apostolios XIV 65 *(Corpus Paroem. Graec.* II, 620).
83. Véase nota 80.
84. J. B. Bauer, *Das Jesuswort* «*Wer mir nahe ist*»: ThZ (1959) 448,
conjetura, como sentido original del refrán, la siguiente idea: «El herido por
el rayo ha de ser considerado como amado de Dios, alguien de quien Dios
ha tomado posesión...». Sin embargo, faltan testimonios de que el refrán haya
sido entendido así alguna vez. Sencillamente, detrás de ese refrán podría
estar la idea, tan usual ya desde Herodoto, de que el rayo es el arma de Zeus.
Se quiere decir únicamente: la proximidad de Zeus es peligrosa; siendo entonces la cuestión si alguna vez se entendió y se empleó, con sentido figurado,
aplicándolo a alguien distinto del rey o el soberano.

Diógenes para un tiempo todavía anterior; sin duda hemos de ver en ella la redacción original, mientras que la otra, tardíamente atestiguada y atribuida a Esopo, representa solamente una reelaboración secundaria, que pudiera haber estado bajo el influjo de nuestro *agraphon* [85].

La consecuencia a que hemos llegado (de que el *agraphon* que nos ocupa es atestiguado de un modo separado e independiente por el evangelio de Tomás, en lo que concierne a la esfera egipcia, y por el tratado armenio, en lo que concierne a la esfera siria) muestra que nos encontramos ante una tradición antiquísima. Tampoco se puede objetar nada desde el punto de vista del contenido; evoca Mc 9, 49 y 12, 34 y tiene el eco de las auténticas palabras de Jesús. A Jesús le gusta expresar su pensamiento con esas contraposiciones tan agudas; precisamente la frecuencia del paralelismo antitético representa una propiedad del modo de hablar de Jesús [86]. Hay que añadir, que mediante la traducción al arameo [87] se obtienen dos cuartetos con rima y con predominio del *mem*; recientes investigaciones modernas han mostrado, que el cuarteto es un signo de la instrucción que Jesús daba a los discípulos [88] y que le gustaba emplear la aliteración y la asonancia [89] y quizá también la rima [90]. Pero sobre todo muestra su coloración de autenticidad en que pretende chocar (Mt 8, 19 s par; 16, 24 s par).

No conocemos con qué motivo pronunció Jesús estas palabras de seriedad y de magnificencia relativas a su seguimiento. Sin embargo, el contenido permite sacar una conclusión retros-

---

85. La conjetura de J. B. Bauer *(o. c.,* 450; cf. *Echte Jesusworte?* 124) de que Jesús puso contenido religioso a un refrán helenístico (sobre esto, n.º 84) es difícilmente sostenible, porque no hay testimonios del refrán πόρρω Διός τε καί κεραυνοῦ en tiempos de Jesús; y además, en su forma más parecida a la de nuestro *agraphon* (ὁ ἐγγὺς Διός, ἐγγὺς κεραυνοῦ) no existen testimonios hasta muy tarde.

86. Cf. p. 69.

87. *Man diqᵉrib ʾimmi, qᵉrib ʾim nura; / man dirᵉchiq minni, rᵉchiq mimmalkuta.* También la construcción de μακράν con la preposición ἀπό hace referencia a un texto arameo, subyacente al texto griego, ya que esa construcción corresponde a la aramea *rᵉchiq min*; en griego se encuentra frecuentemente la construcción con un simple genitivo. Sobre μακράν ἀπὸτῆς βασιλείας, cf. Mc 12, 34.

88. C. F. Burney, *The poetry of our Lord,* Oxford 1925, 112-130.

89. M. Black, *An aramaic approach to the gospels and Acts,* Oxford ²1954, 118-142.

90. C. F. Burney, *o. c.,* 161-175; K. G. Kuhn, *Achtzehngebet und Vaterunser und der Reim* (WUNT 1), Tübingen 1950, 30-46.

pectiva: esas palabras se dijeron evidentemente a alguien que se había ofrecido a seguir a Jesús. Lleno de entusiasmo, emocionado por la alegre buena nueva (nos lo podemos imaginar así), se acerca a Jesús. Pero Jesús es muy sobrio: ¿has pensado lo que haces? ¡Mi cercanía es la cercanía del fuego! ¿En qué fuego se piensa? Casi seguramente, como muestra el paralelismo de las dos frases, en el fuego escatológico. Aquel fuego del que dijo Jesús: «He venido a traer fuego sobre la tierra, y ¡cómo desearía que estuviera ya encendido!» (Lc 12, 49). Es el fuego de la prueba, de la tribulación, del sufrimiento (1 Pe 1, 7; Ap 3, 18), que sirve para anunciar el reino que está llegando y a través del cual han de pasar todos los discípulos de Jesús: «pues todos serán salados con el fuego» (Mc 9, 49). Todo el que se acerca a Jesús, debe tener una cosa bien clara: la cercanía de Jesús es peligrosa. Jesús no promete ni felicidad, ni alegría, sino el ardor de la tribulación, el crisol del sufrimiento. El seguimiento de Jesús es un camino a través del fuego, es el llevar la cruz, seguirle por la vía dolorosa. «El que está cerca de mí, está cerca del fuego».

¿Te asusta, continúa Jesús, que el seguimiento conduzca a la cercanía del fuego? ¿Prefieres volver atrás? Entonces has de saber también esto: «El que está lejos de mí, está lejos del reino». El que rehusa ser discípulo, se excluye del reino de Dios. ¡El fuego es solamente un paso hacia la gloria de Dios!.

Cuando Ignacio refiere el *agraphon* que nos ocupa al martirio que ha de sufrir, confirma con ello la justeza de nuestra interpretación del fuego como sufrimiento, si es que había necesidad de tal confirmación. «Solamente en nombre de Jesucristo», y para sufrir con él, está dispuesto a entregarse a sí mismo a la muerte y a no temer el fuego, la espada y las fieras salvajes. En esa preparación para la pasión se refuerza en él la conciencia de que «quien está cerca de la espada, está cerca de Dios, y quien está en medio de los animales salvajes, está en medio de Dios».

2. *Todos deben pasar por la tentación*

Tertuliano dice en su tratado sobre el bautismo:

«Vigilad y orad —dice él— para que no caigáis en la tentación» (Mt 26, 41; Mc 14, 38; Lc 22, 40). Y por eso creo yo que fueron tentados, porque se habían dormido, de tal manera que abandonaron al Señor cuando fue apresado, y aun aquel que había quedado junto a él e hizo uso de la espada, también él le negó tres veces. Pues ya antes se había dicho esta palabra:

«*Nadie puede alcanzar el reino de los cielos,
sin haber pasado por la tentación*».
Neminem intemptatum regna caelestia consecuturum [91].

Tertuliano es el único que transmite estas palabras, expresamente, como palabras del Señor, aun cuando la *Didascalia* y las *Constituciones apostólicas* (en forma ligeramente distinta) [92] las citan como palabras de la Escritura o bien como «palabras de la voz divina, etc.» [93]. Pero lo que da un peso especial al informe de Tertuliano es la circunstancia desacostumbrada, de que nos hace saber en qué contexto evangélico encontró esas palabras; a saber: en la historia de la pasión, poco antes del relato de Getsemaní. De hecho, según los relatos evangélicos, Jesús habló en aquellos momentos de las tentaciones, a las que serían sometidos sus discípulos (Lc 22, 28), de la tentación que amenazaba especialmente a Pedro (22, 31 s), de que todos los discípulos se escandalizarían (Mc 14, 27; Mt 26, 30); y de la negación inminente de Pedro (Mc 14, 30 par). En ese contexto cabría muy bien nuestro *agraphon*. La mención del lugar del hallazgo nos parece tan importante, que creemos poder reconocer en él una tradición antigua. También corrobora esta creencia el estrecho parentesco con el *agraphon* estudiado en las p. 72 s; en cuanto al contenido, enuncian ambas sentencias lo mismo. Sin embargo no se puede sacar una conclusión completamente cierta; siempre queda la posibilidad de que Tertuliano, por un error de memoria, p. 43 s considerase como una de las palabras que pronunció Jesús en su pasión, palabras como las de Sant 1, 12 (cf. 13) [94].

Cuando Jesús habla del reino de los cielos y de la tentación, vincula a esas palabras un significado muy distinto al que nuestro uso cotidiano del lenguaje suele atribuir. Cuando habla del reino de los cielos, piensa en la entronización visible de la soberanía real de Dios, introducida por la segunda venida del hijo del hombre y la aniquilación de Satán. Cuando habla de tentación, está pensando en la última tentación de Satán sobre toda la tierra, que ha de preceder a esos acontecimientos. También

---

91. Tertuliano, *De baptismo* XX 2 (p. 294, 9 s, Borleffs [CChr I, I]).
92. *Didascalia lat.* II 8, 2 (p. 44, 4 s, Funk): «Dicit enim scriptura: Vir, qui non est temptatus, non est probatus a Deo». Se encuentra lo mismo en las *Const. Apost.* II, 8, 2 (p. 45, 4, Funk): λέγει γάρ ἡ γραφή . Ἀνὴρ ἀδόκιμος ἀπείραστος παρὰ τῷ θεῷ (= a los ojos de Dios).
93. Resch, *o. c.*, 130 s presenta ocho citas de esas palabras; las fórmulas de introducción son distintas.
94. K. Köhler niega, sin razón, que se trate de un *agraphon*: *Das Agraphon bei Tertullian de baptismo cp. 20*: ThStKr (1922) 169-173.

tiene ese sentido la palabra tentación, en las palabras citadas por Tertuliano como dichas en Getsemaní: «Vigilad y orad, para no caer en la tentación» (Mc 14, 38). No se refiere solamente al ataque contra la fe, que la pasión y muerte de Jesús desencadenará contra los discípulos, sino a la gran tentación de toda la tierra, el comienzo de la tribulación, el ataque de Satán a los santos de Dios [95]. Todo esto está a las puertas: la pasión y muerte de Jesús será el comienzo, al que seguirán el martirio de los suyos, la revelación de Satanás en el lugar santo y todos los demás horrores de la última tentación. Ahora ha llegado el tiempo de que los discípulos de Jesús vigilen y pidan a Dios no caer en la tentación.

Según Tertuliano, la historia de la pasión contaba que, ya antes, en el camino hacia Getsemaní, había hablado a los discípulos sobre la tentación: «Nadie puede alcanzar el reino de los cielos, sin pasar por la tentación». Todo el acento está sobre la palabra «nadie». El superar la tentación es para todos la condición de entrada en el reino de Dios. Nadie piense que no le alcanzará la prueba. Tal es la voluntad de Dios, que su reino venga a través del sufrimiento, y que el camino hacia él pase por la tribulación y la tentación. Esa palabra, «nadie», debe fortalecer interiormente a los discípulos cuando tiemblen ante la terribilidad de lo venidero. No hay otro camino para llegar al reino, como deben saber, que el que pasa por el fuego. La promesa sólo se dirige al que supere la tentación [96].

95. Para la comprensión escatológica de la palabra *peirasmos*, véase C. H. Dodd, *Las parábolas del reino*, Madrid 1974, 158-159, siguiendo unas veces y contradiciendo otras a M. Dibelius; también E. Lohmeyer, *Das Vaterunser*, Göttingen ⁴1960, 144; J. Jeremias, *Las parábolas de Jesús*, Estella-Salamanca 1970, 55, 68.

96. Cf. Mc 13, 13: «(Sólo) aquel , que persevere hasta el fin, le salvará Dios». Sobre la partícula «sólo» que a menudo falta en el arameo, cf. J. Jeremias, *Las parábolas de Jesús* 29, n.º 1). A modo de escolio se puede suscitar el problema de si no existe una contradicción entre nuestro *agraphon* (nadie puede escapar a la tentación) por una parte, y las palabras de Getsemaní: «Rogad para que no entréis en la tentación» (Mc 14, 38) por otra. Según un modo de entender estas palabras de Getsemaní (así como las del padrenuestro) muy extendido, se pide el ser totalmente liberados de la tentación (así últimamente E. Lohmeyer, *Das Vaterunser*, 136). Pero es cuestionable que Mc 14, 38 y la sexta petición del padrenuestro hayan de ser entendidas como plena liberación de la tentación. Es de mucho valor para la comprensión lingüística de esta petición, el que nos haya sido transmitida una oración matutina y vespertina de aquel tiempo, en la que se dice: «No conduzcas mi pie al poder del pecado, y no me lleves al poder de la culpa, ni al poder de la tentación, ni al poder de la depravación» (b. Ber. 60b). El orante suplica no caer en la esfera, en el poder, del pecado, la culpa, la tentación, el mal. No es,

3. El anuncio de divisiones

El mártir Justino dice en el capítulo 35 de su diálogo con el judío Trifón:

Pues él (Cristo), dijo: «Muchos vendrán en mi nombre (Mt 24, 5) vestidos con pieles de oveja, pero por dentro son lobos feroces» (Mt 7, 15). Y más lejos:

«*Habrá divisiones y herejías*».
"Εσονται σχίσματα καί αἱρέσεις [97].

La disolución de todos los vínculos y destrucción de todos los órdenes es desde la antigüedad, en el oriente, signo del tiempo terrible que ha de preceder al tiempo de salvación, y por ello pertenece a los signos precursores del fin, en la apocalíptica del judaísmo tardío. Recuérdense las palabras con las que Jesús, en relación a Miq 7, 6, anuncia la destrucción de los más íntimos lazos familiares: «He venido a enemistar a los hijos con sus padres, a las hijas con sus madres, a las nueras con sus suegras; los de casa, se transformarán en enemigos del hombre» (Mt 10, 35 s). ¿Es quizá, el *agraphon* que nos ocupa sólo la libre formulación de las palabras de Jesús que acabamos de citar (Mt 10, 35), hecha en atención a las experiencias de la iglesia primitiva («divisiones»); o es una profecía ampliada, tomada de 1 Cor 11, 18 s, y puesta en boca de Jesús? ¿O acaso es este *agraphon*, que en sí no contiene nada específicamente propio de Cristo, una frase tomada de la apocalíptica del judaísmo tardío, que fue atribuida equivocadamente a Jesús? Los testimonios en favor de nuestro *agraphon* contradicen tales suposiciones. No solamente podemos leerlo en Justino, sino también en la *Didascalia siria* («Como dijo nuestro Señor y Salvador: habrá escisiones [*Parteihader*] y divisiones [*Spaltungen*]») [98]. Y las homilías pseudoclementinas mencionan dos veces, que el Señor había anunciado escisiones [99]. El

por tanto, una súplica de preservación, cuanto de ayuda para pasar. Lo mismo se diga de la sexta petición del padrenuestro. Aparecerá claro en cuanto se reconozca que forma una unidad, en Mateo, con la séptima petición. La petición negativa: «No nos dejes caer en la tentación», se aclara con la positiva: «Sino líbranos del poder del mal». No se trata pues de preservación, sino de ayuda. Lo mismo ocurre en Mc 14, 38. Por lo tanto, no hay ninguna contradicción con nuestro *agraphon*. Cf. J. Jeremias, *Das Vater-Unser im Lichte der neuren Forschung*, Stuttgart 1962, 26-28.

97. Justino, *Dial*. 35, 3 (p. 103, Goodspeed).
98. *Didaskalia syr*. VI 5, 2 (p. 310, 3 s, Funk; p. 178, Gibson).
99. Pseudo Clemente, *Hom*. II 17, 4 (p. 42, 11 Rehm [GCS 42]); XVI 21, 4 (p. 228, 11 s).

hecho de que las tres fuentes sean plenamente independientes unas de otras [100], remite a la antigüedad de la tradición.

El anuncio de divisiones y escisiones parece que se ha de entender en el sentido de que cuando se habla de divisiones, se piensa en los que se separan del grupo de los discípulos, y por el contrario, las escisiones se refieren a los conflictos en el seno del grupo de discípulos. Ambos anuncios no contienen nada específico de Cristo, como acabamos de indicar. No obstante, ocurre con estas palabras, como con muchas otras palabras apocalípticas del nuevo testamento, que tratan de los prenuncios del fin, que lo que aparece primeramente como un tópico apocalíptico, descubre, al examinarlo más de cerca, su peculiaridad crística. En las palabras que estamos estudiando aparece de modo evidente, si uno se pregunta por la causa de las divisiones y escisiones anunciadas: proceden de la intromisión de falsos profetas (Mc 13, 5 s, 22 s); con razón antepone Justino estas palabras a Mt 24, 5 y 7, 15. Los falsos profetas son creídos, encuentran seguidores, dentro de la comunidad de Jesús. ¡Esto es lo terrible! La tentación de los tiempos finales tiene muchos rostros: desde el empleo de la violencia brutal, hasta la seducción espiritual. En algo propio del modo de hablar de Jesús, la seriedad con la que previene de la más peligrosa de las tentaciones: de los falsos profetas, de los lobos con vestidura de oveja, de Satanás con ropaje de salvador. Muchos sucumbirán al hechizo de la voz engañosa, embriagados de entusiasmo, y el grupo de discípulos de Jesús se dividirá entre sí, y muchos apostatarán. Jesús previene: «Mirad, que yo os he dicho todo de antemano» (Mc 13, 23).

4. *Una llamada de advertencia ante el peligro supremo*

Un gnóstico egipcio del siglo II, Teodoto, discípulo de Valentín, nos ha transmitido las palabras siguientes:

Por eso dice el salvador:
«¡Sálvate a ti y a tu vida!»
Σώζου σὺ καὶ ἡ ψυχή σου [101].

Estas palabras se relacionan estrechamente con Gén 19, 17, cuando Lot recibe esta advertencia: «¡Sálvate! ¡La vida está en juego!» (literalmente: «Sálvate a causa de [*al*] tu vida!»). Es no-

---

100. Resch, *o. c.*, 359.
101. Clemente de Alejandría, *Exc. ex Theod.* 2, 2 (p. 56, Sagnard [SC 23]).

table que no se ha hecho uso de los Setenta (σῴζων σῷζε τὴν σεαυτοῦ φυχήν). Además corrobora la antigüedad de la tradición, para Jesús, según el relato de los sinópticos, tenía gran interés que la historia de la aniquilación de Sodoma y Gomorra (Gén 19; Mt 10, 15 par; Lc 10, 12; Mt 11, 23 s; Lc 17, 28-32; cf. Mc 9, 49; Lc 12, 49), y que, según Lc 17, 31 s, hace especial referencia a la huida de Lot y su familia lejos de la lluvia de fuego. Así pues nuestro *agraphon* se inserta en un círculo de ideas bien definido, dentro de la tradición de logia escatológicos.

La breve orden: «¡Sálvate a ti y a tu vida!» trae a los oyentes el recuerdo de la historia de la huida de Lot de la ciudad de Sodoma, entregada a la aniquilación. En aquella ocasión, Lot y los suyos tuvieron que correr «con las manos sobre la cabeza» (es decir: dejando atrás todo lo que poseían) [102] para salvar su vida. Así, dice Lc 17, 31 s, volverá a suceder cuando irrumpa violentamente la última catástrofe: «El que esté en la azotea [103] y tenga sus cosas en la casa, no baje a buscarlas, y de igual modo, el que esté en el campo, no vuelva atrás. Acordaos de la mujer de Lot». Es decir: Jesús ha visto el arquetipo de la huida escatológica en la huida de Lot y su familia de Sodoma. La idea de la huida escatológica, que ya resuena en el Bautista (Mt 3, 7 par), luego en los tres sinópticos (Mc 13, 14-18 par; Mt 23, 33; Lc 17, 31 s), y finalmente vuelve en el Apocalipsis de Juan (12, 6.13 s), está también en la base de nuestro *agraphon*.

La que más exhaustivamente trata de la huida escatológica, es la llamada Apocalipsis sinóptica Mc 13, una composición de la comunidad primitiva, pero que emplea palabras de Jesús. La tribulación venidera, según Mc 13, no sólo traerá persecución y tentación (cf. los dichos de las páginas 71 s, 79 s, y 82 s) sino que traerá lo más terrible: la «abominación de la desolación» (Mc 13, 14), ¡Satanás sobre el trono de Dios! Cesan los cultos a Dios, queda desolado el santuario. «Pero cuando veáis la abominación de la desolación situada donde no debe estar atienda el lector-entonces» (Mc 13, 14), y se interrumpe la descripción. Ya no prosigue la pintura ni una sola palabra: la corta indicación es suficiente. Solamente quedaba una cosa por decir, repetir, expresar de nuevas formas; es decir: la advertencia: ¡huid! «Entonces, los que están en Judea deben huir a las montañas; el que está en el tejado, no baje ni entre a sacar nada de su casa, y el que está en el campo, no vuelva atrás a buscar su manto. ¡Ay de las encin-

---

102. j. Sanh. 10, 9, 29d.
103. En las cálidas noches de verano, se dormía en el tejado.

tas y de las que crían en esos días! (ya que están impedidas para la huida). Rogad para que no suceda en invierno (pues después de un verano sin lluvias, con la llegada de las lluvias se vuelven los caminos intransitables, estorbando la huida) (Mc 13, 14b-18). Ya estamos viendo: el texto no proporciona ninguna descripción de lo terrible. Solamente dice una cosa, y vuelve a repetirla: ¡huid, huid sin vacilar, no os dejéis detener por nada, tened cuidado de no perder el menor lapso de tiempo! Satanás sobre el trono de Dios, exigiendo honores divinos, es algo tan increíblemente horrible, que sólo cabe la huida.

¿Por qué? Igual que cuando Lot huyó de Sodoma, la orden que recibió era: «¡Sálvate! ¡Tu vida está en juego!» (Gén 19, 17), también en el caso de la huida escatológica está en juego la vida; los esbirros de Satanás persiguen a los creyentes, que le niegan la adoración. Pero en este caso se trata de algo más que de la vida terrenal; se trata de la vida, en pleno sentido. La revelación de Satanás es la hora de la gran apostasía. La gran hora de la tentación no es ni las guerras, ni las catástrofes naturales, las hambres, persecuciones, interrogatorios y torturas, ni las falsas doctrinas, el fanatismo religioso y las denuncias (Mc 13, 5-13), sino la gran apostasía que sobrevendrá sobre la tierra, y acerca de la cual dijo Jesús: «Rogad para que no caigáis (en el poder de) la tentación [104] (Mc 14, 38). El peligro de las almas será tan terrible entonces, que para todos los que habitan en el ámbito del santuario (Mc 13, 14), el sólo titubear equivaldrá a sucumbir. Por eso sólo valdrá entonces una cosa: ¡Huir de todo lo que puede llevar a la apostasía! ¡No pactéis! ¡Nada ·de compromisos! ¡Huid!

Estas palabras son, pues, una llamada a la vista del peligro supremo. La última gran tentación está ante las puertas. «El Salvador dice: ¡Sálvate a ti, y a tu vida!».

5. *El Señor volverá*

Sin embargo, la última palabra no la tiene ni la tribulación, ni las enseñanzas erróneas, ni Satanás; la última palabra la tiene el Señor que ha de volver. De ello trata la más antigua de las palabras del Señor, que nos ha sido transmitida al margen de nuestros cuatro evangelios: 1 Tes 4, 16-17a. El año 49, es decir: mucho

---

104. Cf. p. 80, nota 96.

antes de que nuestros evangelios fueran redactados, el apóstol Pablo hace referencia a la siguiente palabra del Señor:

16 *El Señor descenderá del cielo con una orden sonora,*
con el grito de un arcángel y trompeta de Dios.
Y en primer lugar resucitarán los muertos [105] *en Cristo.*

17 *Entonces, nosotros los vivientes, los que hayamos*
quedado todavía, seremos arrebatados junto con ellos
a las nubes, en el aire, al encuentro del Señor [106].

16 Αὐτὸς ὁ κύριος ἐν κελεύσματι, ἐν φωνῇ ἀρχαγγέλου
καὶ ἐν σάλπιγγι θεοῦ καταβήσεται ἀπ' οὐρανοῦ,
καὶ οἱ νεκροὶ ἐν Χριστῷ ἀναστήσονται πρῶτον,

17 ἔπειτα ἡμεῖς οἱ ζῶντες οἱ περιλειπόμενοι
ἅμα σὺν αὐτοῖς ἁρπαγησόμεθα ἐν νεφέλαις
εἰς ἀπάντησιν τοῦ κυρίου εἰς ἀέρα.

Pablo transmite este pequeño apocalipsis a la comunidad de Tesalónica, para liberarla de una preocupación que la atormenta. La comunidad, todavía muy reciente, fundada algunas semanas antes, sufría una gran inquietud por la muerte de alguno o algunos de sus miembros, pues temía que los miembros de la comunidad muertos no pudiesen compartir la venida majestuosa de Cristo. Pablo destruye esos temores mediante la sentencia que nos ocupa, de la cual resulta, que según la palabra de Jesús «nosotros los vivientes, los que hayamos quedado hasta la vuelta del Señor, no nos adelantaremos a los que ya se han dormido» (1 Tes 4, 15).

Ahora bien, Jesús no debió de pronunciar el logion en la forma que nosotros tenemos; más bien la tradición ha debido de influir, por lo menos en tres lugares, en la formulación del logion: 1) el giro introductorio αὐτὸς ὁ κύριος que no resulta bien en boca de Jesús, debe ser una sustitución, hecha por Pablo, del primitivo ὁ υἱός τοῦ ἀνθρώπου; 2) la fórmula paulina típica ἐν

---

105. Οἱ νεκροὶ ἐν Χριστῷ así como οἱ κοιμηθέντες ἐν Χριστῷ (1 Cor 15, 18), designa a los cristianos que han muerto. La falta de artículo antes del atributo preposicional colocado a continuación ἐν Χριστῷ se explica, porque aquí οἱ νεκροί tiene un poder verbal (B. Rigaux, *Les epitres aux thessaloniciens*, Paris 1956, 545) = «los que están muertos».

106. Por lo que se refiere a delimitar cuáles son las palabras del Señor, se ha abierto camino la idea, de que en 1 Tes 4, 15 nos encontramos ante una síntesis hecha por el apóstol (se hace notar ,especialmente, la ruptura de estilo entre el v. 15 [estilo epistolar] y el v. 17 [estilo apocalíptico]; cf. M. Dibelius, *An die Thessalonicher* (HNT 11) Tübingen ³1937, 25 s); asimismo, las últimas palabras del v. 17 (καὶ οὕτως πάντοτε σὺν κυρίῳ ἐσόμεθα) deben ser una conclusión paulina, de tal manera que abarca las mismas palabras del Señor es decir: v. 16-17a.

χριστῷ debió añadirla para mayor claridad; 3) también la primera persona del plural en el v. 17 habrá de cargarse a cuenta de la tradición, o bien del mismo apóstol. Como, además, nuestra palabra no tiene ninguna correspondencia exacta en los evangelios, se tiende a suponer muchas veces, que nos encontramos ante una cita atribuida a Jesús, tomada de alguna apocalipsis [107], o ante una palabra del Señor glorificado [108]. El mismo Pablo estaba convencido, como demuestra el giro ἐν λόγῳ κυρίου del v. 15 [109], de que transmitía una palabra pronunciada por el Señor en la tierra. Por eso hay que preguntarse, si debe contarse con la posibilidad (sin prejuicio de las modificaciones del texto mencionadas más arriba) de que Jesús pudiera haber hecho semejante descripción de la parusía. A esta pregunta hay que responder afirmativamente; pues está fuera de toda duda, que Jesús pronunció palabras apocalípticas. El paralelo más cercano lo ofrece la descripción de la parusía de Mt 24, 30 s (ampliando ligeramente Mc 13, 26 s), la cual, como en la conclusión de Dan 7, 13, habla de bajada desde el cielo, de escolta celestial (μετὰ δυνάμεως καὶ δόξης πολλῆς) de ángeles, de la gran trompeta, de nubes, y del destino de los elegidos. Caso de que la descripción de la parusía de 1 Tes 4, 16 s se remontara a Jesús, no querría decirse con ello, necesariamente, que hubiera tenido ante los ojos el punto de vista más importante para Pablo; a saber: que los muertos no fueran a tomar parte. Tampoco sería imposible; pues en el IV libro de Esdras, donde el vidente se plantea la cuestión de si sólo tomarán parte en la salvación, aquellos que alcancen la meta (5, 41; he aquí la impresionante respuesta: «Mi juicio será semejante a una rueda: los últimos no están detrás, ni los primeros, delante»: 5, 42), puede verse, que esa pregunta estaba en el aire, por decirlo así. Quizá, el motivo para que Jesús se manifestase sobre esa cuestión, fuera el anuncio de que algunos de sus discípulos sufrirían el martirio (Mc 8, 34; 10, 39; 13, 12 s; Mt 10, 28; 24, 9; Jn 16, 2). Pero, como ya hemos dicho, no es necesario sacar la conclusión de que nuestro logion (en caso de que sea auténtico) tenga ante los ojos el destino de los mártires; el πρῶτον de 1 Tes 4, 16 pudo haber sido acentuado por Pablo, por primera vez. Dado que existen también paralelos rabínicos de la idea de la elevación a las nubes [110], apenas podrá encontrarse un rasgo en la

---

107. M. Dibelius, *An die Thessalonicher*, 25.
108. W. Michaelis, *Die apokryphen Scrhiften zum Neuen Testament*, Bremen ²1958, 6.
109. G. Kittel, artículo λέγω D, en ThW IV, 1942, 105 s.
110. Billerbeck III, 635 s.

descripción de la parusía de 1 Tes 4, 16 s; que no pueda imaginarse puesto en boca de Jesús, prescindiendo de las modificaciones mencionadas más arriba.

El *agraphon* describe la vuelta de Cristo en un vigoroso tríptico. Se sirve para ello de la idea de la recepción de un rey, procedente del ceremonial real del antiguo oriente. Las tres imágenes pintan escenas, que se suceden unas a otras a gran velocidad. La primera imagen es militar. El hijo del hombre aparece (Dan 7, 13) en el cielo, seguido por más de doce legiones de ángeles, que están esperando sus órdenes. El sonido de la trompeta divina final, que hace resonar un arcángel por mandato de Cristo (esta es la segunda escena) llama a los muertos de sus tumbas. (En el judaísmo tardío se había extendido la idea, de que los muertos resucitarían en grupos sucesivos [111]; también en 1 Cor 15, 23 puede leerse que los muertos en Cristo darán el primer grupo de los resucitados). Y a continuación viene la tercera imagen, la más importante, en la que los que pertenecen a Cristo, ya sea que hayan sido resucitados, ya sea que hayan sobrevivido, son arrebatados a las nubes, para dar escolta de honor [112] al rey que baja del cielo.

6. *Advertencia a estar preparados*

La espera de la vuelta de Cristo significa, que su comunidad ha sido llamada a estar siempre preparada. Esto es lo que expresa un *agraphon*, que nos ha sido transmitido en una versión siria del *Liber graduum:*

> *Tal y como seáis encontrados,*
> *así seréis llevados.*
> *Ak d^eteschtak^echun tetdab^erun* [113].

Estas palabras, no estudiadas hasta ahora por las investigaciones que se ocupan de los *agrapha*, se corresponden con un *agraphon* transmitido por el padre de la iglesia Justino (muerto hacia el 165). En su diálogo con el judío Trifón, y para funda-

---

111. Por ejemplo, Sifre Deut 355 sobre 33, 21; Targ. Jer. I. II Onqelos Deut. 33, 21; cf. J. Jeremias, artículo Μωυσῆς, en ThW IV, 1942, 861, 15 s.

112. E. Peterson, *Die Einholung des Kyrios*: ZSTh (1930) 682-702.

113. *Liber graduum*, serm. III 3 (col. 49, 26 s, Kmosko [PS I 3]) poco después se encuentra en otro *agraphon* (col. 52, 7 s) y XV 4 (col. 344, 15 s). Cf. también serm. XXIV 2 (col 720, 13): *ak d^emescht^ekach nasch metd^ebar.*

mentar la idea de que Dios considera como pecador, inicuo e impío, a aquel que ha caído de la justicia y el temor de Dios en la impiedad, escribe:

> Por eso dijo nuestro señor Jesús:
> «Allí donde os encuentre,
> allí os juzgaré».
> ἐν οἷς ἂν ὑμᾶς, καταλάβω,
> ἐν τούτοις καὶ κρινῶ [114].

Esta sentencia, en forma muy poco modificada [115] fue citada después por Clemente de Alejandría (muerto hacia el 215) [116], y después de él, con mucha frecuencia, por los padres de la iglesia griegos y latinos [117]; algunos de ellos citan estas palabras en tercera persona. Sumamente chocante resulta que en los testimonios conocidos hasta ahora, solamente Justino atribuye el *agraphon expressis verbis* a Jesús; los demás testigos, siendo el primero Clemente de Alejandría, lo citan sin indicación concreta de su origen, entendiéndose sin embargo con toda evidencia a Dios como sujeto, tal y como lo prueba el contexto. Las *Quaestiones ad Antiochum* (siglo V ?) [118], falsamente atribuidas a Atanasio; la *Vita* del obispo Joannicius, muerto el 846 [119] y Elías de Creta (siglo X) [120] hablan de unas palabras que Dios pronunció por medio de un profeta; y la traducción resumida de la *Vita Antonii*, de Atanasio [121], realizada por Evagrio de Antioquía, hacia el 375, así como Juan Climaco (muerto hacia el 649) [122] la atribuyen al profeta Ezequiel.

Este estado de cosas, que hemos descrito, llevó a los investigadores a sacar la conclusión de que nuestro *agraphon* había sido atribuido a Jesús por Justino erróneamente; pero que en realidad

---

114. Justino, *Dial.* 47, 5 (p. 146, Goodspeed).
115. En lugar de la palabra καταλαμβάνειν se encuentra una forma de εὑρίσκειν o invenire, con la excepción de la redacción poética de Juan el Geómetra, que tiene ἔλω.
116. Clemente de Alej., *Quis dives salv.* 40, 2 (p. 186, 12 s, Stählin [GCS 17]).
117. Resch, *o. c.*, 102, 322 s, aporta otros 18 testimonios, además de Justino y Clemente.
118. *Quaest. ad Ant.* 36 (MPG 28 [1887], 617 C).
119. Sobre ello llama la atención Ropes, *o. c.*, 137, que a su vez debe la referencia a A. v. Harnack. Sobre las tres Vita de Joannicius, cf. F. Halkin, *Bibliotheca Hagiographica Graeca* II, Bruxelles ³1957, 35.
120. Elias de Creta, en *Jus canonicum Graeco-Romanum* (PMG 119 [1881] 989 C).
121. *Vita S. Antonii* 18 (MPG 26 [1887], 869; MPL 73 [1860], 136 A).
122. Juan Clim., *Scala paradisii*, gradus VII (MPG 88 [1864] 812 D).

pertenecía a un libro apócrifo de Ezequiel [123]. Como argumento principal para mantener semejante conclusión solía aducirse, que parecía muy difícil de imaginar, que en unas palabras citadas tan frecuentemente se hubiera olvidado que procedían de Jesús, siendo aceptada en cambio universalmente una tradición que le atribuía un origen más modesto. En verdad resultaba sorprendente que Justino, el testigo más antiguo, atribuyese las palabras a Jesús; además atribuir el *agraphon* a un libro apócrifo de Ezequiel era no más que una hipótesis, ya que no se conserva un tal libro, y el decir que los cuatro fragmentos [124] son suyos, es bastante inseguro.

Sin embargo, el hecho de que el *agraphon* se encuentre en tres lugares del. *Liber graduum* sirio [125], en paralelo indudable con la palabra transmitida por Justino, da pie para una nueva revisión del material. Es evidente que la expresión «como os encuentre, así os llevaré» se juzga como palabra del Señor en el *Liber graduum:* en el Serm. III 3 (col. 49, 26 s) por el contexto, y en el III 3 (col. 52, 7 s) y XV 4 (col. 344, 15 s) introduciéndolo como palabra del «Señor», teniendo en cuenta que en el lenguaje especial del *Liber graduum* la palabra Señor sólo puede querer decir Jesús. Tenemos pues aquí el segundo tetigo de que nos hallamos ante una palabra de Jesús. Finalmente, también es testigo de que el *agraphon* viene de Jesús, Cipriano (muerto el 258) [126], que lo ofrece con esta redacción: «Qualem te invenit Dominus cum vocat, talem pariter et iudicat»; con la palabra «Dominus» se designa a Jesús, como muestra la continuación: «quando ipse testetur et dicat», que ya es una transición a la cita de Ap 2, 23 [127]. Tenemos por tanto tres testigos, primitivos e independientes, que atribuyen nuestro *agraphon* a Jesús: Justino (antes del 165), Cipriano (antes del 258) y el *Liber granduum* sirio (primera mitad del siglo IV), que nos remitiría a una antigua tradición siria [128].

123. Así, según otros (cf. Ropes, *o. c.*, 139) también K. Holl, *Das Apokryphon Ezechiel*, en *Gesammelte Aufsätze zur Kirchengeschichte* II: *Der Osten*, Tübingen 1928, 33-43.
124. Cf. *Ibid.*, 35 s; P. Riessler, *Altjüdisches Schrifttum ausserhalb der Bibel*, Augsburg 1928, 334-336.
125. Cf. p. 87, nota 113.
126. Cipriano, *De mortalitate* 17 (p. 308, 4 s, Hartel [CSEL 3, 1]).
127. También en el escrito de Cipriano, *De mortalitate*, la palabra «Dominus» quiere decir Jesús; cf. cap. 2.3.5.11.18.24.
128. Las citas canónicas y extracanónicas del libro de los grados sirio están necesitadas todavía de una investigación minuciosa; sin embargo parecen representar antiguas tradiciones sirias.

Contra estos testimonios se alza, bien es verdad, el número de testigos que antes hemos indicado [129]. Sin embargo, ya Ropes expresó la sospecha de que todos esos testigos tardíos, a excepción de Cipriano [130], puedan «depender, directa o indirectamente, de Clemente, o bien de la escuela alejandrina» [131]. Por eso hemos de preguntarnos si se puede explicar que Clemente de Alejandría entendiese nuestro logion como palabra de Dios, sin más precisión, y los posteriores lo atribuyesen al profeta Ezequiel. De la comparación de las dos redacciones del *agraphon*, una en Justino y la otra en el *Liber graduum*, surge una respuesta a esa pregunta. Llama la atención en la versión siria, que por una parte no es una expresión dicha por el mismo Jesús, y que por otra parte no habla del «juzgar» de Jesús, sino del «ser apartado», o «ser llevado». Sin duda la versión más antigua es la del *Liber graduum*, ya que en este caso la sentencia todavía no está impregnada de la cristología de la comunidad, sino que habla solamente de la irrupción del final y de su significado para los hombres, que sean alcanzados por él. También son signo de antigüedad las formulaciones en voz pasiva, que describen cómo actúa Dios; actuación que se realiza a través de sus ángeles [132]: «Tal y como os encuentre el ángel de Dios», cuando sea enviado a examinar y convocar para el juicio [133], «así seréis llevados». En Justino este dicho se ha transformado en una manifestación del mismo Jesús en persona sobre su parusía; ya no realiza el examen un ángel por mandato de Dios, sino que es el mismo Cristo glorificado, quien aparece como juez del mundo. De modo paralelo el «ser llevado» se ha transformado en un «ser juzgado».

En esta versión en primera persona es como se difundió el dicho. Esta formulación reformada está íntimamente relacionada con algunas expresiones de Ezequiel; la más cercana Ez 33, 20: ἕκαστον ἓν ταῖς ὁδοῖς αὐτοῦ κρίνω ὑμᾶς. Ya Justino citó el *agraphon* haciendo referencia a Ez 33, 12-20, y Jerónimo (muerto el 419 ó 420), que no cita literalmente, lo nombra en conexión inmediata con Ez 33, 12 [134]. El parentesco conceptual entre las dos palabras

---

129. Cf. p. 87 s.
130. Ropes coloca aquí un signo de interrogación.
131. Ropes, *o. c.*, 138.
132. Cf. Mt 25, 32, la forma pasiva, perifrástica, συναχθήσονται, sobre esto J. Jeremias, *Las parábolas de Jesús*, 267 s.
133. Cf. Mc 13, 27; Mt 24, 31; 25, 31 s; también 13, 41.49 y su interpretación infra.
134. Jerónimo, *Epist.* CXXII (o bien XLVI) *ad Rusticum* 3 (p. 66, 14 s, Hilberg [CSEL 56]).

pudo quizá motivar, que Clemente, y los autores que presentan trazos alejandrinos, hablaran solamente de «una palabra de Dios», o incluso viesen en este *agraphon* una palabra de algún profeta, en concreto, de Ezequiel. Por el contrario, en Roma (Justino), Cartago (Cipriano) y Siria *(Liber graduum)*, se mantiene que la palabra procede de Jesús.

El hallazgo de la versión siria ha colocado la historia de la tradición de nuestro *agraphon* bajo una nueva luz. Ya no se puede seguir adscribiendo este *agraphon* al grupo de «atribuciones equivocadas» (p. 43 s). Por lo demás la versión siria muestra una gran antigüedad; a su carencia de cristología (cf. p. 90) y a su manera de describir el obrar divino por medio de la voz pasiva *(ibid.)* hay que añadir, como indicios de antigüedad, el ritmo y la rima.

Nuestro *agraphon* pertenece a una serie de palabras y parábolas de los evangelios, que tratan de que los oyentes deben vivir con la vista puesta en la catástrofe final venidera [135], y quieren persuadirles a que sean conscientes de la gravedad del momento. El juicio de Dios ya está ante las puertas, y el plazo de penitencia concedido está espirando. En los sinópticos tenemos dos formas distintas de esta sentencia apocalíptica. La más antigua (Lc 17, 20-37) acentúa el carácter repentino de esa vuelta; la más reciente (Mc 13 par) describe exhaustivamente los signos precursores. La sentencia que estudiamos, pertenece al grupo más antiguo. En el fondo se halla la idea de que el último día sobrevendrá de un modo totalmente sorprendente. Signo de su antigüedad es también la idea de que los ángeles del Señor realizarán la separación de unos y de otros [136]. Mientras que en Mc 13, 27 par y Mt 24, 31 reúnen a los elegidos, y en Mt 13, 41 por el contrario reúnen a los seductores y a los seducidos, en nuestro *agraphon*, la idea, parece ser que al realizar esa separación, llevan a unos a la salvación, y a otros a la perdición [137]. El carácter especial de nuestro *agraphon* consiste en que acentúa este hecho: el estado en el que cada uno sea encontrado, decidirá sobre su destino definitivo. Una vez que los ángeles sean enviados y comience el juicio, ya no habrá ningún

135. Sobre esto y lo siguiente, cf. J. Jeremias, *Las parábolas de Jesús*, 196 s.
136. Así hay que entender también Mt 24, 40 s par; cf. E. Klostermann, *Das Matthäusevangelium* (HNT 4), Tübingen ²1927, 197; W. Bauer, *Wörterbuch zum Neuen Testament*, Berlin ⁵1958, 1.228 s. παραλαμβάνω 1.
137. Se encuetra una idea parecida en el libro de Henoc, etíope (especialmente 100, 4 s), donde por una parte se habla de los ángeles de las plagas y los castigos, que reúnen a los pecadores; y por otra parte de los santos ángeles que Dios ha puesto para guardar a los justos y santos: cf. Billerbeck I, 974.

aplazamiento ni ninguna posibilidad de cambio, sino que: «como los ángeles de Dios os encuentren, así os llevarán». Así, de un modo impresionante, el *agraphon* pone ante los ojos de los oyentes la gravedad y seriedad del momento. Como la parábola de las diez vírgenes (Mt 25, 1-12), también este *agraphon* exhorta a los oyentes a estar preparados. En cada momento deben contar con la irrupción del fin y la llegada del hijo del hombre, enderezando toda su vida hacia ese fin.

III. LA ACTIVIDAD DE JESÚS

1. *La parábola del gran pez*

El evangelio copto de Tomás nos transmite, como logion 8, la siguiente parábola de Jesús:

> Y Jesús dijo:
> «*El hombre se asemeja a un pescador listo, que arrojó su red en el mar, y* [138] *la volvió a sacar del mar; (estaba) llena de pececillos. Entre ellos encontró el pescador listo un grande y hermoso* [139] *pez. (Entonces) arrojó los pececillos al mar, y* [140] *escogió sin tibubeos* [141] *el gran pez. El que tenga oídos para oír, que oiga*» [142].

La parábola debió decirse en un principio aplicándola al reino de Dios [143], como es el caso de las demás parábolas transmitidas por el evangelio de Tomás [144]. La introducción actual, «el hombre es semejante», habría que explicarla así: en el logion 7, que precede a nuestra parábola, se emplea cuatro veces la palabra

---

138.   El idioma copto gusta del asíndeton, usando una serie de frases principales allí donde el castellano requiere una «y».

139.   Esta palabra «hermoso» no está en el texto copto, que usa un circunloquio para calificar el conjunto gramatical «pez grande». Creemos que el castellano exige esta traducción. En este sentido véase la traducción alemana de H. Quecke, en R. M. Grant-N.. D. Freedman, *Geheime Worte Jesu: das Thomasevangelium*, Frankfurt am Main 1960, 208.

140.   Véase nota 138.

141.   La palabra copta *hise* significa propiamente «pena, molestia, sufrimiento, algo desagradable»; en nuestro texto se usa con sentido figurado: «duda, inhibición, titubeo».

142.   Texto copto en *Evangelium nach Thomas*, Leiden 1959, pl. 81, 28-82, 3.

143.   Así también C.-H. Hunzinger, *Unbekannte Gleichnisse Jesu aus dem Thomas-Evangelium*, en *Judentum Urchristentum Kirche* (BZNW 26) Berlin 1960, 209-220; *Ibid.*, 218.

144.   Logion 20, 57, 76, 96, 97, 98, 107, 109.

«hombre», y bajo este influjo un escritor copto en lugar del correcto *mĭntero* (=reino, βασιλεία) escribió equivocadamente otra otra vez la palabra *rôme* (=hombre) [145]. La conclusión con la llamada [146], también conocida por los sinópticos, se propone exhortar al lector gnóstico a penetrar en el sentido profundo de la parábola. Se halla ésta marcada por el colorido local palestinense (técnica de pesca; el lago de Genezaret es llamado «mar») y por el parecido de su contenido con el de las dos parábolas del evangelio de Mateo.

Como en la parábola de la red (Mt 13, 47 s) somos conducidos a las orillas del lago Genezaret [147]. Pero mientras Mateo describe la gran pesca [148] realizada desde los botes con redes de arrastre, Tomás habla de un sólo pescador, que arroja su red en aguas poco profundas junto a la orilla [149]. Se ha ceñido su bolsón de pescador y ha arrojado una piedra para atraer a los peces. Después arroja su red, que tiene forma circular, cuatro metros de diámetro y en los bordes unos pesos, a fin de que después de ser arrojado, en forma campaniforme, se sumerja rápidamente; con ayuda de un dispositivo que sale del centro es jalada, y rápidamente se hace la selección de lo pescado: los peces pequeños, que no sirven para comer, se arrojan sobre la arena o al agua. Varía mucho lo que se saca cada vez; algunas veces la red sale vacía; un observador moderno contó de 20 a 25 peces en un lanzamiento afortunado [150]. Nuestra parábola contempla al pescador en el momento en que está realizando un lanzamiento. La red aparece llena de pececillos, pero en medio de ellos [151] ve un

145. No convence nada la explicación dada por R. M. Grant - N. D. Freedman, *Geheime Worte Jesu*, 123, de que para Tomás «el hombre verdadero, justificado en su interior, es como la realización del reino». En ese caso cabría esperar la misma transformación, por ejemplo, en las parábolas de los logion 76, 96 y 98.
146. Mt 11, 15; 13, 9.43; Mc 4, 9.23; Lc 8, 8; 14, 35. En el evangelio de Tomás se encuentra esa llamada también en el logion 21, 24, 63, 65, 96.
147. Cf. Mt 7, 10 (par Lc 11, 11); 13, 47 s; 17, 27; Mc 1, 17 (par Mt 4, 19).
148. G. Dalman, *Arbeit und Sitte in Palästina* VI (BFChTh II 41), Gütersloh 1939, 348 s; *Orte und Wege Jesu*, (BFChTh II 1), Gütersloh ³1924, 145.
149. Sobre lo siguiente, véase: G. Dalman, *Arbeit und Sitte in Palästina* VI, 346 s y fig. 66; K.-E. Wilken, *Biblisches Erleben im Heiligen Land* I, Lahr-Dinglingen 1953, 192 s.
150. K.-E. Wilken, *o. c.*, 192.
151. Sólo así se puede traducir el texto copto. Hay que colocar un inciso detrás de *întbt înkûj*, con *închraj înhêtû* comienza una nueva frase. La partícula *în* antes de *chraj* no es, como opina C.-H. Hunzinger, *o. c.*, 218, algo que enlaza *chraj înhêtû*, como adjetivo, a lo que antecede, sino que es

gran pez, que puede servir para una buena comida. Su alegría es grande. Tal vez, en otro caso, habría dudado si guardar algún que otro pececillo en su cesto, pero ahora ya no duda lo más mínimo, y arroja todos los demás al mar. Así ocurre, dice la parábola, cuando un hombre se llena de alegría: todo lo demás pierde su valor. La parábola del gran pez está estrechamente emparentada con las del tesoro en el campo (Mt 13, 44) y la perla preciosa (Mt 13, 45 s). También ellas quieren mostrar solamente como, a causa de la alegría por lo que se ha encontrado, todo lo demás pasa a un segundo plano [152].

En la parábola se le llama al pescador hombre listo. Así también es listo todo aquel que, subyugado por la alegría de la buena nueva, considera todo lo demás de poco valor frente a este hallazgo precioso. El ser hijo de Dios se coloca en el centro de su vida, y todo su quehacer queda ya determinado por esa gran alegría, que sobrepasa cualquier otra cosa.

2. ¡No entender!

En los Hechos de Pedro, apócrifos *(Actus Petri cum Simone = Actus Vercellenses)*, capítulo X, se habla de un senador romano, llamado Marcelo, que fue un miembro destacado de la comunidad cristiana, pero luego, seducido por Simón el Mago, apostató de la fe. Convencido después por el apóstol Pedro de su mal paso, le ruega que interceda por él ante Cristo. Le recuerda las palabras de Jesús sobre la fe, que es como un grano de mostaza (Mt 17, 20), y reconoce, que no había estado firme en la fe; pero tampoco Pedro había tenido esa fe cuando había sido vencido por la duda, en el mar (Mt 14, 28 s); y además debía pensar en la palabra, que él había oído que Jesús pronunció en alguna ocasión:

> *Los que están conmigo, no me han entendido*
> Qui mecum sunt, non me intellexerunt [153].

Por consiguiente, continúa Marcelo, si incluso los apóstoles no se vieron libres de la duda, se atrevía a esperar que Cristo le perdonase su apostasía de la fe.

---

una preposición que está unida con *chraj* (= entre ellos); a su vez, de *ínchraj* depende la preposición *ínhêt* con el sufijo pronominal de la tercera persona del plural (= «de ellos» [es decir: de los pececillos]). Por lo tanto no se necesita eliminar una partícula hipotética *ín*, ni (como hace Hunzinger) corregir el sufijo de la tercera persona del plural, poniendo «en él» (sc. la red, o el mar).

152. J. Jeremias, *Las parábolas de Jesús*, 270-274.
153. *Acta apostolorum apocrypha* I, ed. R. A. Lipsius, Leipzig 1891,

Junto a una cita literal del evangelio de Mateo y la alusión a la marcha sobre las aguas de Pedro, perícopa que transmite también Mateo, contiene la presente narración apócrifa un *agraphon*, cuyo origen es desconocido. Se ha querido ver en esa mención de que Jesús es «extraño» para los suyos, una aportación de tipo gnóstico [154]. Prescindiendo de que los *Actus Vercellenses* difícilmente pueden proceder de fuera de la gran iglesia [155], va contra tal suposición el hecho de que nuestro *agraphon* se distingue fundamentalmente de las expresiones gnósticas sobre el carácter de «extraño» (extranjero, desconocido, ignoto, inusitado... *N. del T.)* que atribuyen al salvador [156]. En efecto: mientras que en la gnosis el Salvador es desconocido para los de fuera, siendo en cambio conocido para los suyos, nuestro *agraphon* habla precisamente de que es extraño para los suyos. Con eso queda excluida una interpretación gnóstica de esta palabra. El *agraphon* se sitúa muy cerca de aquellas palabras de los evangelios canónicos, que hablan de falta de comprensión de los discípulos (por ejemplo, Mc 4, 13; 7, 18 par; 8, 17 s par; 8, 32 s par; 9, 19; Jn 14, 9), y se incluye en ese marco, aun cuando resulte sorprendente la elección de la tercera persona.

Jesús tuvo que experimentar la incomprensión, escasez de fe, y duda, aun de los discípulos que estaban más próximos a él; le estuvieron siempre importunando las falsas esperanzas salidas de su propio círculo. El camino de su pasión no comenzó en Getsemaní, sino mucho antes, con la falta de fe y la incomprensión de los que estaban junto a él.

IV. EL MODO DE VIVIR DE LOS DISCÍPULOS DE JESÚS

1. *Hermandad verdadera*

Jerónimo dice en su exegesis de la carta a los efesios (sobre 5, 3-4), que había encontrado en el evangelio de los hebreos unas palabras dirigidas a los discípulos:

nueva edición Darmstadt 1959, 58, 5 s.
154. H. von Campenhausen, *Kirchliches Amt und geistliche Vollmacht in den ersten drei Jahrhunderten* (BHTh 14), Tübingen 1953, 11, n.º 3.
155. W. Michaelis, *Die apokryphen Schriften zum Neuen Testament*, Bremen ²1958, 332 s; W. C. van Unnik, *Petrusakten*, en RGG³ V, 1961, 256.
156. Sobre la idea gnóstica del salvador como «extraño», cf. H. Jonas, *Gnosis und spätantiker Geist* I: *Die mythologische Gnosis* (FRLANT N.F. 33), Göttingen ²1954, 122-126.

Y sólo entonces debéis estar contentos:
cuando miréis a vuestros hermanos con caridad
Et nunquam (inquit) laeti sitis,
nisi cum fratrem vestrum videritis in caritate [157].

Las dos palabras finales del texto *(in caritate)* son muy difíciles de traducir. Se plantean dos preguntas: 1) ¿Qué es *caritas?* Si nos atenemos al sonido de la palabra, su mejor significación es comida del amor, agape (cf. Jds 12). «Y sólo entonces debéis estar contentos, cuando veáis a vuestros hermanos en la comida del amor» [158]. Es decir: fuera de la comida fraternal no debéis celebrar ninguna fiesta: una prohibición para los cristianos de participar en las comidas y banquetes mundanos. Jerónimo no lo entendió así, como muestra el *futurum exactum* (futuro perfecto) [159]. Por lo demás cabría preguntarse, si esa interpretación es atribuible al texto arameo primitivo (Jerónimo presenta sólo una tradución del evangelio arameo de los hebreos). Pero si debemos dejar la palabra *caritas* con su sentido habitual (amor, caridad), surge una segunda pregunta: 2) *in caritate*, ¿pertenece al complemento o al sujeto? En el primer caso [160] querría decir: «Y sólo debéis estar contentos, cuando veáis que vuestro hermano está en la caridad». Pero, ¿qué quiere decir que el hermano «está en la caridad»? Habría que explicarlo así: si véis a vuestro hermano henchido o encerrado en su falta de caridad, debéis entristeceros hasta el punto de perder toda la alegría. Pero esta relación o referencia del *in caritate* al complemento resulta tan poco natural desde el punto de vista del lenguaje, que no pudo ser pretendida por Jerónimo. Mejor sentido ofrece sin embargo el referir *in caritate* al sujeto [161]. La aspereza gramatical, que supone este modo de relacionar el *in (in caritate)*, queda superada si se tiene en cuenta, que ese *in* es solamente la réplica literal de la partícula semítica *bᵉ*. Así pues hay que traducir: «Y solamente entonces podéis estar contentos: cuando veáis (consideréis) a vuestros hermanos con amor».

Como muestra la «y» del principio nuestras palabras son la conclusión de una alocución desconocida, que Jesús hizo a sus

157. Jerónimo, *In Ephes.* 5, 3.4 (MPL 26 [1845], 520 A).
158. Cf. E. Schwartz, *Osterbetrachtungen* (ZNW 1906), 1-33; 1, n.º 1; coinciden con él: J. Wellhausen, *Einleitung in die drei ersten Evangelien*, Berlin ²1911, 76.
159. Indicación de E. Haenchen, de Münster.
160. Así Resch, *o. c.*, 236.
161. Así Ropes, *o. c.*, 145 s; A. Harnack, *Über einige Worte Jesu, die nicht in den kanonischen Evangelien stehen* (SAB 169), 1904, 175; M. Dibelius, *Geschichte der urchristlichen Literatur* I, Berlin-Leipzig 1926, 56.

discípulos [162]. La palabra «hermano» ha de entenderse en el sentido amplísimo, que suele tener en la más antigua tradición referente a Jesús [163], de correligionario [164]. Por lo tanto no puede limitarse a los discípulos, por ejemplo, sino que tras las palabras que estudiamos, como también en el caso de Mt 5, 22 y 18, 15, se hallan las palabras del antiguo testamento de Lev 19, 17:

> No debes alimentar odio contra tu hermano en tu corazón, sino pedir explicaciones francamente a tu correligionario.

Las palabras que estamos estudiando corresponden plenamente a lo que dice Jesús en los evangelios sobre el sentimiento fraternal hacia el correligionario, que él espera de sus discípulos. Si toda palabra, cargada de odio, contra el hermano excita la cólera de Dios (Mt 5, 22); si toda discordia con el hermano, no solucionada, se interpone entre el discípulo y su Dios (Mt 5, 23 s; Mc 11, 25), tampoco puede haber alegría para el discípulo de Jesús, «si no puede mirar con amor» al hermano; es decir: mientras su corazón siga moviéndose bajo le influjo de pensamientos privados de amor, o tal vez llenos de odio. La auténtica piedra de toque para saber si pertenece en verdad a los discípulos de Jesús es cuando su corazón, realmente, es capaz de sentir una alegría imperturbable; cuando ha sido alejado todo lo que separa del hermano.

2. *¡Sed indulgentes!*

Jerónimo encontró el siguiente trozo en el evangelio de los nazareos:

> «*Si* (dice él) *tu hermano ha pecado de palabra* (contra ti) y *te ha dado satisfacción, acéptale siete veces al día*». Le dijo Simón, su discípulo: «*¿Siete veces al día?*». El Señor le respondió diciéndole: «*Yo te digo incluso: ¡hasta setenta veces siete! Pues aun en los profetas se encontró hablar pecaminoso después de su unción por el Espíritu santo*».
> Si peccaverit (inquit) frater tuus in verbo et satis tibi fecerit, septies in die suscipe eum. Dixit illi Simon discipulus eius: septies in die? Res-

---

162. A. Harnack, *o. c.*; H. J. Schoeps, en DLZ 1951, col. 290 pretende englobar en esa alocución el *agraphon*, mencionado más arriba en la p. 17, nota 6, del *Comentario a Ezequiel*, de Jerónimo.
163. Cf. J. Jeremias, *Las parábolas de Jesús*, 240 s.
164. Del mismo modo en las palabras dispersas del Señor, estudiadas en la p. 53 s y 96 s.

pondit Dominus et dixit ei: etiam ego dico tibi, usque setuagies septies. Etenim in prophetis quoque, postquam uncti sunt spiritu sancto, inventus est sermo peccati [165].

La conversación mantenida por Jesús y Pedro sobre el ilimitado deber del perdón, que es narrada por Mt 18, 21 s, ofrece en la nueva versión del evangelio de los nazareos, una serie de rasgos nuevos. De una tradición oral [166], usada también por Lucas, proceden el arrepentimiento del ofensor (Lc 17, 3.4) y las palabras «al día». Además, lo propio de la versión del evangelio de los nazareos consiste en dos cosas: 1) los pecadores del hermano, que peca siete veces al día (17, 4), se limitan a pecados de palabra; y 2) la exigencia de perdonar setenta veces siete tiene una fundamentación digna de notarse: ya que remite a los pecados de palabra [167] de los profetas. Nos hallamos ante un caso límite evidente. Cosa cierta es, que nuestro *agraphon* muestra un manifiesto colorido palestinense, desde el punto de vista del lenguaje y del contenido.

Por el contrario, no se puede decir con certeza si se trata de una elaboración secundaria de Mt 18, 21 s, o de una versión inde-

---

165. Jerónimo, *Adv. Pelag.* III 2 (MPL 23 [1845], 571 A). La frase final es, en griego, en la edición Sión de los evangelios, así: καὶ γὰρ ἐν τοῖς προφήταις μετὰ τὸ χρισθῆναι αὐτοὺς ἐν πνεύματι ἁγίῳ εὑρίσκετο ἐν αὐτοῖς λόγος ἁμαρτίας (E. Klostermann, *Apocrypha* II (KlT 8), Berlin ³1929, 8, n.º 10).

166. Es muy improbable que el evangelio de Lucas mismo haya sido utilizado.

167. La expresión *sermo peccati* = λόγος ἁμαρτίας, puede traducirse de tres maneras: 1) «la palabra pecado» (asi Ph. Vielhauer en Hennecke³ I, 96), esta traducción no tiene ningún sentido; 2) la correspondiente al giro arameo *pitgam dᵉchôb* en Targ. Onqelos Ex 22, 8 «cualquier pecado» (así J. B. Bauer: «*Sermo peccati*: BZ [1960] 122-128, siguiendo a Lagrange; asimismo W. Michaelis, *Die apokryphen Schriften zum Neuen Testament*, 124, 127, que remite al giro parecido λόγος πορνείας de Mt 5, 32); 3) «hablar pecaminoso» (así se entiende comúnmente). Ya Jerónimo entendió el *agraphon* en este sentido, como un testimonio en contra de los pecados de la lengua. A favor de este modo de entenderlo está Sir 23, 13, donde se encuentra también el giro λόγος ἁμαρτίας: «No permitas que tu boca se acostumbre a la fea impertinencia (ἀπαιδευσίαν ἀσυρῆ), ἔστιν γὰρ ἐν αὐτῇ λόγος ἁμαρτίας (pues en ella no faltan las palabras pecaminosas). La traducción siria «palabras de engaño» muestra, que aquí la traducción correcta de λόγος ἁμαρτίας es «hablar pecaminoso», «palabras pecaminosas», y también lo demuestra la esistencia de parecidas uniones de palabras, típicas del lenguaje usual hebreo y arameo, en la literatura sapiencia. Así encontramos dos versículos después, Sir 23, 15, que se habla de un hombre acostumbrado a «palabras injuriosas» o «maledicencia» (λόγοι ὀνειδισμοῦ; cf. también, por ejemplo, Prov 1, 2 λόγοι φρονήσεως (palabras sensatas); 22, 21 λόγοι ἀληθείας (palabras sinceras); 23, 12 λόγοι αἰσθήσεως (palabras juiciosas); Sir 29, 5 λόγοι ἀκηδίας (palabras llenas de aflicción); 31 [34], 31 λόγος ὀνειδισμοῦ (palabra injuriosa); 41, 25 λόγοι ὀνειδισμοῦ (palabras ofensivas, AS: singular); 41, 26 λόγος ἀκοῆς (palabras oídas).

pendiente de esas palabras. Es difícil decidirse por cualquiera de las dos soluciones. Se puede considerar como secundaria esa limitación a los pecados de la lengua, y en cuanto a la fundamentación se puede echar de menos la altura «que cabría esperar en una palabra del Señor. Que no se pueda esperar nada mejor de los hombres excelsos, no es propiamente motivo para que se deba perdonar al hermano sin límites» [168]. Pero también se puede argumentar al revés. ¿No es acaso más verosímil, que cuando Pedro pregunta cuántas veces debe perdonar a su hermano, en realidad se está pensando desde el principio en insultos repetidos? Parece indicarlo la repetición frecuente del mismo pecado dentro de un mismo día. Y también parece indicarlo el hecho, de que es una característica de los orientales la facilidad en emplear insultos, imprecaciones, etc. Y, ¿es realmente la frase del final indigna de Jesús? El no quiere indicar el motivo para perdonar, sino únicamente ayudar a los discípulos a ser indulgentes. Tú que te irritas contra tu hermano (la palabra tiene en labios de Jesús, como vimos al examinar el dicho de la p. 96 s el sentido amplio de correligionario) que te ha vuelto a herir, piensa con qué facilidad caen los hombres en pecados de palabra. Si aun los santos mensajeros de Dios, ungidos por su espíritu, sucumbieron a ellos [169], ¿por qué te lo tomas tan a lo trágico cuando le pasa lo mismo a tu hermano?

3. ¡Llenos de confianza!

En el Oxyrhynchus-Papyrus 1224, sobre el que se ha discutido tan fuertemente, se encuentra el siguiente fragmento, que consta de tres frases, sobre los enemigos y los que se mantienen lejos:

Y rogad por vuestros [enemi]gos (cf. Mt 5, 44).
Pues quien no está [contra vosot]ros, está con vosotros (cf. Lc 9, 40).
[*Quien hoy*] *se halla lejos, mañana estará* [*cerca*] [*de vosotros*].
['Ὁ σήμερον ὤ]ν μακρὰν αὔριον
[ἐγγὺς ὑμῶν γ]ενήσεται [170].

168. Ropes, *o. c.*, 164; H. J. Schoeps, *Teologie und Geschichte des Judenchristentums*, Tübingen 1949, 167, considera nuestro logion como una variante de Mt 18, 21 s, en la que se traiciona la enemistad de los ebionitas contra los profetas.
169. Pueden verse ejemplos rabínicos de los pecados de palabra de Moisés en Billerbeck I, 277, 279 s; de Eliseo: *Ibid.*, 277. Tal idea es absolutamente palestiniana.
170. E. Klostermann, *Apocrypha* II (KIT 8), Berlin³ 1929, 26.

Apenas se puede encontrar una objeción contra la autenticidad de esta breve frase. A su favor está: 1) la yuxtaposición con dos palabras de Jesús (citadas libremente) sumamente conocidas; 2) el *parallelismus membrorum* antitético, que Jesús utilizaba con preferencia [171] (de las dos antítesis: cerca-lejos, hoy-mañana, la primera se repite en el *agraphon* estudiado en las p. 71 s, y la segunda en el padrenuestro); 3) el contenido.

La frase, fácil de retener en la memoria y capaz de impresionarla, está repleta de enorme confianza. Las cuatro parábolas de los contrastes, el grano de mostaza (Mc 4, 30-32), la levadura (Mt 13, 33), la siembra que crece sola (Mc 4, 26-29) y el sembrador resuelto (Mc 4, 3-8), muestran del modo más claro posible cuán profundamente reinó esta confianza en Jesús, hasta el punto de que se puede señalar como uno de los núcleos de su buenanueva. Es común a todas ellas el presentar el reino de Dios venidero, en agudo contraste con el presente. Dios lleva adelante su reino partiendo de una nada (grano de mostaza, levadura), sin que el hombre haga nada (siembra que va creciendo sola), y a pesar de los errores (el sembrador) [172]. La misma confianza tranquila respira la palabra que estamos estudiando: «El que hoy se halla lejos, mañana estará cerca de vosotros». El secreto de esta confianza es que Jesús toma a Dios en serio. Se confía a su Padre. Confía en la promesa de Dios de Is 57, 19: «Yo produzco el fruto de los labios y la salvación, sí, la salvación para los que están lejos y los que están cerca, dice el Señor».

Tal es la confianza que los discípulos deben aprender de Jesús. El quiere fortalecerlos y ayudarles a que la enemistad, la contradición y la indiferencia no les desanimen. Deben saber que el poder de Dios no conoce límites y que él dirige los corazones de los hombres como las corrientes de agua; por eso no tienen ningún motivo para desesperar. Al mismo tiempo muestra Jesús a sus mensajeros qué actitud deben tener interiormente frente a los enemigos y los que se encuentran lejos: en los contrarios de hoy deben ver los discípulos de mañana.

4. *El padre tiene cuidado*

En el Oxyrhyncus-Papyrus 655, la exhortación: «[No os preocupéis] desde por la mañana hasta por la tarde, ni desde la noche hasta la mañana, de vuestra alimentación, qué comeréis, o de

---

171. Véase p. 77.
172. J. Jeremías, *Las parábolas de Jesús*, 184 s.

vuestro vestido, qué os pondréis», después de una referencia a los lirios, que aun sin hilar crecen, termina con las palabras:

> *El mismo os dará vuestro vestido.*
> Αὐτὸ[ς δ]ώσει ὑμεῖν τὸ ἔνδυμα ὑμῶν [173].

En lo que hace referencia a su contenido, esta frase no va más lejos que Mt 6, 25-34 (par Lc 12, 22-31). Cuando Jesús, siguiendo la imagen del señor cuervo, que no usa la reja del arado, ni siembra ni cosecha, y de la señora anémona, que no hace girar el huso ni maneja el telar [174], y sin embargo Dios los alimenta y los viste, dice: «Si Dios a la hierba del campo, que hoy es y mañana es arrojada al fuego, la viste de tal modo, ¿no lo hará mucho más con vosotros, hombres de poca fe?» (Mt 6, 30 par; Lc 12, 28), promete lo mismo que en las palabras que estudiamos. Estas podrían ser un resumen reducido de Mt 6, 30. Sin embargo, a causa de su simplicidad, produce la impresión de antigüedad; hay que añadir, que a esta sentencia en contra de la inquietud, se añade en el Oxyrhyncus-Papyrus 655 un logion gnóstico, en el que se toma una vez más la palabra-guía «vestido» [175]. Tal estado de cosas podría remitirnos a una versión de la tradición del *agraphon* contra la inquietud, que presentase la palabra-guía «vestido».

Jesús prohíbe expresamente el trabajo a los discípulos, que manda al viaje de evangelización [176]. Toda su fuerza debe emplearse indivisa en el evangelio. Pero, ¿qué harán cuando tengan hambre, cuando no tengan dinero para comprarse algo de comer, o cuando pasen frío por no tener nada que ponerse? ¡Hombres de poca fe! dice Jesús, ¿cómo podéis preguntar eso? ¡Tenéis un Padre! Podéis fiaros plenamente de esto: «El mismo os dará vuestro vestido».

---

173. E. Klostermann, *Apocrypha* II, 23. La frase falta en el correspondiente dicho 36 del evangelio copto de Tomás; sin embargo en el Oxyrhyncus-Papyrus podría estar la versión original del logion, cf. O. Hofius, *Das koptische Thomasevangelium und die Oxyrhyncus-Papyri Nr. 1, 654 y 655*: EvTh (1960) 189.

174. J. Jeremías, *Las parábolas de Jesús*, 254 s.

175. En el Oxyrhyncus-Papyrus 655, el logion contra la inquietud y la subsiguiente conversación de los discípulos de contenido gnótico, dos piezas independientes; sólo en el evangelio copto de Tomás resultó por primera vez *un* logion de los dos: cf. O. Hofius, *Das koptische Thomasevangelium*, 189 s.

176. J. Jeremías, *Las parábolas de Jesús*, 240 s.

5. *Una palabra sobre la oración*

Clemente de Alejandría cita (quizá tomándola de una colección de palabras [177] de Jesús) la siguiente palabra:

> **Pedid lo grande,**
> así Dios [178] os dará lo pequeño por añadidura
> Αἰτεῖσθε (γάρ φησι) τὰ μεγάλα
> καὶ τὰ μικρὰ ὑμῖν προστεθήσεται [179].

Además de Clemente de Alejandría («él dice»), citan esta palabra Orígenes («el Salvador dice»), Eusebio («el Salvador enseñó»), y Ambrosio («está escrito») [180]. Está estrechamente emparentado con la sentencia del sermón del monte: «Buscad primero el reino (de Dios) y su justicia, y lo demás os lo dará Dios por añadidura» (Mt 6, 33; Lc 12, 31). ¿Nos encontramos acaso ante un uso de esta sentencia aplicada a la oración, eso nacido en la comunidad, por ejemplo, en la instrucción a los catecúmenos? Sería un feliz uso, plenamente dentro del espíritu de Jesús. Sin embargo, no hay que dejar a un lado sin más la posibilidad, de que nos encontremos antes una palabra independiente de Jesús [181]. En efecto; por una parte los contactos entre nuestra palabra y y Mt 6, 33, al menos en lo que se refiere a los textos, no es tan estrecho como pudiera parecer a primera vista (se limitan a las dos palabras προστεθήσεται ὑμῖν «Dios os lo dará por añadidura»); por otra parte presenta nuestra palabra una antítesis, de las que le gustaban a Jesús; también en el aspecto formal presenta plenamente caracteres sinópticos, mientras que en su contenido (como veremos inmediatamente comparándola con el padrenuestro) formula clara y brevemente el ruego central de la plegaria de Jesús. La versión bipartita, que presenta nuestra palabra en Orígenes y Ambrosio, muestra inequívocamente las ampliaciones debidas a la comunidad: «Pedid lo grande, así os dará Dios lo

---

177. Ropes, *o. c.*, 140.
178. Literalmente: «así se os añadirá lo pequeño». Pero esa traducción literal no da el sentido exacto. Pues la forma pasiva («se os añadirá») es un circunloquio del nombre de Dios. Por eso se debe traducir: «Dios os añadirá lo pequeño» (= os dará por añadidura).
179. Clemente de Alejandría, *Strom* I, XXIV 158, 2 (p. 100, 1 s, Stählin [GCS] 15).
180. Orígenes, *Selecta in psalm.* 4, 4 (MPG 12 [1862], 1141 C); *De orat.* 2, 2; 14, 1 (p. 299, 19 s; 330, 7 s, Koestchau [GCS 3]); Eusebio, *In psalm.* 16, 2 (MPG 23 [1857], 160 C); Ambrosio, *Epits, I, XXXVI ad Horontianum* 3 (MPL 16 [1845], 1082 C).
181. A. von Harnack, *Der kirchengeschichtliche Ertrag der exegetischen Arbeiten des Origenes* II, (TU 42, 4), Leipzig 1919, 40.

pequeño, y pedid lo celestial, para que Dios os dé lo terreno por añadidura» [182]; la segunda parte añadida, muestra un lenguaje que ya no es sinóptico, sino paulino-joánico. Así como Jesús exige siempre a sus discípulos transformar en valor predominante de su vida el reino de Dios, la soberanía de Dios, la voluntad de Dios, y no los propios deseos, el propio bienestar, el propio yo (Mt 6, 33; cf. 6, 24 s), así también ocurre en la palabra que estudiamos. Esa orientación general de Jesús se aplica aquí a la oración, ya que también en ella es válido que en el centro debe estar lo grande, lo importante, y no lo pequeño: el reino y la majestad de Dios, y no los propios cuidados y necesidades de cada momento. Eso es lo que enseña Jesús en el padrenuestro: encaminar la oración a la santidad de Dios, al reino de Dios y a los grandes dones salvíficos del tiempo mesiánico: el pan del tiempo salvífico y la redención de los pecados [183]. No quiere decir esto que Jesús impida a sus discípulos poner sus necesidades pequeñas en las manos del Padre. Sino que los cuidados cotidianos no deben dominar en la oración, ya que como saben: lo pequeño se lo dará Dios por añadidura.

6. Exhortación a la sobriedad espiritual

¡Sed cambistas expertos!
Γίνεσθε τραπεζῖται δόκιμοι [184].

Esta corta parábola gustó muchísimo a la iglesia primitiva. Fue citada una y otra vez, como ninguna otra de las palabras extracanónicas del Señor, por los primitivos escritores cristianos, y ciertamente con la categoría de palabra del Señor (Orígenes, *Homilías pseudoclementinas*, *Pistis Sophia*, Jerónimo, Sócrates, *Vita S. Syncleticae*) o de la Escritura (Clemente de Alejandría, Orígenes, Palladius, Nicéforo) o bien del evangelio (Apelles, Caesarius, Cassianus) [185]. El incansable A. Resch ha reunido no

182. Orígenes (véase nota 180): Αἰτεῖτε τὰ μεγάλα / καὶ τὰ μικρά ὑμῖν προστεθήσεται, / καὶ αἰτεῖτε τὰ ἐπουράνια / καὶ τὰ ἐπίγεια ὑμῖν προστεθήσεται. Ambrosio (véase ibid.); «Petite magna, / et parva adjicientur vobis. / Petite coelestia, / et terrena adjicientur».
183. Sobre la fundamentación de la interpretación arriba indicada del padrenuestro, véase mi trabajo: *Das Vater-Unser im Lichte der neueren Forschung*, Stuttgart 1962.
184. *Pseudoclem. homil.* II 51, 1 (p. 55, 17, Rehm [GCS 42]); III 50, 2 (p. 75, 20); XVIII 20, 4 (p. 250, 13) y *passim*.
185. Testimonios en Resch, *o. c.*, 112-122; otros tres testimonios de Orígenes en A. v. Harnack, *Die kirchegechichtliche Ertrag der exegetischen*

menos de 37 citas y 20 referencias, en las que es digna de notarse la unanimidad de la tradición tanto respecto al texto, como a la manera de entenderlo. Si la palabra cayó en el olvido, a pesar de haber sido tan querida, se debió a que el occidente moderno no conoce la profesión, de que en ella se trata, en esa forma [186].

La palabra es una parábola, que trata de una «profesión inspiradora» *(Motivberuf)* de los discípulos. Así como Jesús describe con su gusto propia tarea salvífica usando la comparación de una profesión (pastor, médico, constructor de una casa, etc.) [187], lo mismo hace con la tarea y el estilo de sus discípulos. Encontramos, como «profesiones inspiradoras» *(Motivberufe)*, en lenguaje simbólico, la del segador (Mt 9, 37), el pastor (Mt 10, 6; 18, 12-14), el pescador (de hombres, Mc 1, 17), del administrador (Mt 16, 19a; cf. 13, 52), el juez (Mt 18, 18; 16, 19b: atar y desatar es la prerrogativa del juez), y finalmente el cambista. «¡Sed expertos cambistas!». ¿Qué quiere decir? La palabra τραπεζίτης aparece solamente una vez en el evangelio, Mt 25, 27: «Tenías que haber colocado mi dinero con los banqueros (que le habrían hecho producir intereses)». La palabra quiere decir aquí, banquero. ¿Hay que entender en ese sentido la setencia que estamos estudiando? «¡Sed banqueros hábiles! ¡sed fieles y dignos de confianza! ¡haced producir intereses a lo que os ha sido confiado! ¡sacad todo el provecho posible a vuestros talentos!». ¿Es acaso esto? Ciertamente que no, ya que el sentimiento unánime de la iglesia primitiva está en contra de esa interpretación.

Puede saberse cómo entendió la iglesia primitiva· esta palabra, gracias a la versión más larga, que ya encontramos en Clemente de Alejandría: «¡Sed cambistas hábiles, que rechazan muchas cosas, pero retienen lo bueno!» [188]. El *tertium comparationis* es el hecho de elegir y seleccionar las monedas, separando las auténticas y en curso, de aquellas que son falsas o no están en curso. Es preciso representarse la vida mercantil de Jerusalén como extraordinaria-

Arbeiten des Origenes II, 40; una cita de Víctor de Capua, en H. J. Vogels: BZ (1910) 390. Véase un la p. 31, nota 91 la indicación de los lugares de los padres, en los que se cita el *agraphon* como palabra de Jesús. Sobre el empleo de esta palabra por los padres de la iglesia y su influencia hasta en la teología jesuítica del siglo XVI, cf. H. Rahner, *Werdet kundige Geldwechsler*. Zur Geschichte der Lehre des hl. Ignatius von der Unterscheidung der Geister: Gregorianum (1956) 444-483.

186.   Ropes, *o. c.*, 141.
187.   J. Jeremías, *Jesus als Weltvollender* (BFChTh 33, 4), Gütersloh 1930, 32 s; *Las parábolas de Jesús*, 274 s.
188.   Clemente de Alejandría, *Strom.* I, XXVIII 177 (p. 109, 13 s, Stählin [GCS 15]) y *passim*.

mente animada. Estaban en curso el dinero romano de todos los tipos, y a su lado el cobre y la plata griegos de distinto origen (acuñaciones de los procuradores, las monedas de cobre herodianas y las fenicias) [189]. Los peregrinos, que confluían de todo el mundo, traían consigo dinero de todos los países, y, para comodidad en el viaje, en forma de lingotes (lit.: dinero grande) [190], que cambiaban en Jerusalén por medio de los cambistas, quienes se sentaban por todas partes en los bazares. Se requería un cambio monetario especial para efectuar todos los pagos en el templo, ya que en el santuario, especialmente en lo que se refiere al tesoro del templo (que ingresaba enormes sumas, ya que el judaísmo de todo el mundo debía pagar cada año) [191], solamente se admitía el cambio monetario tirio [192]. De este modo, Jerusalén era uno de los principales lugares de cambio en el próximo oriente; los negocios alcanzaban su punto culminante en las tres peregrinaciones (pascua, pentecostés, tebernáculos). Los cambistas tenían una mesita ante sí [193], que quizá, entonces como ahora, estaba cubierta con una placa de vidrio; en casos de duda, dejaban caer la moneda sobre el cristal y por el sonido reconocían si era legítima o no. ¿Cuál es el signo del cambista «hábil» y experimentado? La mirada aguda. Cualquier numismático sabe qué difícil es determinar las monedas corrientes antiguas, que a menudo se han desgastado hasta resultar irreconocibles. Pero el cambista experto reconoce a la primera mirada, qué clase de moneda tiene delante, ve inmediatamente si la moneda ya no está en curso o si es completamente falsa. No acepta el dinero falso. No se deja engañar.

Los escritores cristianos primitivos, cuando citaban nuestro *agraphon*, daban a continuación como explicación la palabra de

---

189. O. Roller, *Münzen, Geld und Vermögensverhältnisse in den Evangelien*, Karlsruhe 1929, 5 s; S. Krauss, *Talmudische Archäologie* II, Leipzig 1911, 404-416, Billerbeck I, 290-294.

190. Cf. Scheq. 2, 1; S. Krauss, *o. c.*, 412 s.

191. Billerbeck I, 762 s.

192. Difícilmente se puede justificar la idea común, según la cual el atrio de los gentiles estaba ocupado permanentemente por los cambistas; esto sucedía solamente tres semanas antes de la pascua, cuando vencía el impuesto del templo: «El 15 (adar, es decir: un mes antes de la fiesta de pascua) colocaban los cambistas sus mesas (por todas partes) en el país (Palestina); el 25, en el santuario»: Scheq. 1, 3. La cólera de Jesús contra los cambistas del templo (Mc 11, 15; Mt 21, 12; Jn 2, 14 s) se entenderá mucho mejor, sabiendo que el atrio de los gentiles no estaba ocupado por los cambistas todo el año.

193. Ante la mesa (τράπεζ, *schulchan)* da su nombre a los cambistas (τραπεσίτης, *schulchani).*

Pablo de 1 Tes 5, 21 s [194]. Pablo reduce la exhortación a no so-
focar el espíritu ni menospreciar la profecía (es decir: dejar lugar
a los dones del espíritu en la vida de la comunidad y en el servicio divino) a las tres líneas siguientes:

> Probadlo todo:
> retened lo bueno,
> evitad toda mala forma (εἶδος).

Los escritores cristianos primitivos entienden la palabra εἶδος
en el sentido de «especies de moneda» = lat. *species* [195]. Si se hallan en lo cierto, entonces quiere decirse que el apóstol Pablo ya
había conocido la palabra de Jesús que estamos estudiando, y
la empleó en la primera carta a los tesalonicenses: dejad que ac-
túen los dones de la gracia, pero, como buenos cambistas, ¡exa-
minad! ¡ejerced la discreción de espíritus! ¡admitid todo lo bueno,
pero desechad lo que no proviene del espíritu de Dios! Sin embargo no hay testimonios para confirmar que εἶδος tiene el sentido de «especies de moneda» [196]. Dado que además Josefo encuentra en Ant. X 37, un giro (πᾶν εἶδος πονηρίας ἐπιδειξάμενος...
καὶ μηδὲν ἀσεβὲς παραλιπών) que se parece mucho al usado por
Pablo (ἀπὸ παντὸς εἶδους πονηροῦ ἀπέχεσθε), hay que traducir el
v. 22 como: «evitad todo tipo de mal».

Séanos permitido ahora hacer una conjetura; ¿en qué ocasión
pronunció Jesús estas palabras, si es que realmente provienen de
él? Había profetizado con insistencia: vendrán falsos profetas,
que dirán actuar en su nombre; harán grandes signos, y realizarán cosas asombrosas; la multitud les alabará, sólo unos pocos descubrirán sus intenciones (Mc 13, 5 s par; 21 s par; Mt
7, 15 s; 24, 11). Cuando llegue esa hora de la tentación, entonces
valdrá esta admonición: ¡sed espiritualmente sobrios! ¡no os dejéis seducir, y rechazad todo lo que no proviene de mi espíritu!
Aprended de los cambistas a tener una mirada aguda para des-
cubrir lo que es falso. «¡Sed cambistas hábiles!» [197].

---

194. Testimonios: Resch, *o. c.*, 112 s; cf. Ropes, *o. c.*, 142 s.
195. Resch, *o. c.*, 125, remite a J. M. A. Hänsel, *Über die richtige Auffa-
sung der Worte Pauli 1 Tes 5, 21 s*: ThStKr (1836) 170-184.
196. Hänsel solamente trae dos testimonios de escritos cristianos tardíos,
en los que aparece εἶδος νομίσματος.
197. Algo parecido se encuentra ya en W. Bauer, *Das Leben Jesu im
Zeitalter der neutestamentlichen Apokryphen*, Tübingen 1909, 401, una exhortación a estar atentos «frente a la masa de los que ofrecen doctrinas heréticas».

7. ¡Andad con cuidado!

El Oxyrhyncus-Papyrus 840, al que debemos también la historia, estudiada más arriba pp. 56 s, del encuentro de Jesús con el jefe de sacerdotes, tiene en las primeras siete líneas la conclusión de un discurso, que Jesús hizo a sus discípulos, antes de entrar en el templo. Desgraciadamente sólo se puede traducir con seguridad la frase central, de las tres del discurso de Jesús:

Antes de cometer una injusticia (?) [198], él prepara todo con astucia. *Pero, ¡guardaos (de esos tales), para que no os suceda lo mismo que a ellos!* Porque no solamente entre los vivientes se dará su merecido a los que hacen el mal de entre los hombres [199], sino que tendrán que soportar castigo y gran tormento.

```
 1   πρότερον πρὸ (τοῦ) ἀδικῆσαι πάντα σοφίζεται.
     ἀλλὰ προσέχετε μή πως καὶ
     ὑμεῖς τὰ ὅμοια αὐτοῖς πάθητε · οὐ γὰρ
     ἐν τοῖς ζωοῖς μόνοις ἀπολαμβάνου-
 5   σιν οἱ κακοῦργοι τῶν ἀνθρώπων ἀλλὰ κ[αὶ]
     κόλασιν ὑπομένουσιν καὶ πολ[λ]ὴν
     βάσανον [200].
```

Las ideas de que el malhechor proyecta sus fechorías con astucia (primera frase) y que su castigo aquí en la tierra es sólo un anticipo de aquel castigo, que sólo merece el nombre de tal, y de los grandes tormentos (frase tercera), no eran desconocidas para los discípulos.

Lo nuevo de nuestro texto es única y exclusivamente la advertencia a los discípulos de Jesús de guardarse de la injusticia, a fin de que no experimenten un destino igual al de los malhechores (frase segunda). ¡También los discípulos de Jesús están amenazados! ¡Que no se sientan seguros! Ante el Dios vivo no sirve para nada toda la astucia con la que, imitando a los malhechores, los hombres quieren engañar en lo que concierne a sus malas acciones y su verdadero modo de ser. Vendrá el juicio, y comenzará por la casa de Dios. Se hará patente quiénes son los ejecutores de la palabra de Dios y quiénes los que solamente la escucharon; el trigo

198. El manuscrito dice (línea 1): πρότερον προαδικῆσαι «para adelantarse de antemano hacia la injusticia». Intercalamos el artículo, al igual que hace el editor (Grenfell-Hunt): πρότερον πρὸ (τοῦ) ἀδικῆσαι.

199. El manuscrito dice (línea 5): οἱ κακοῦργοι τῶν ἀνθρώπων, que puede traducirse o bien «los malhechores de entre los hombres», o bien «los que hacen mal a los hombres».

200. El texto según H. B. Swete, *Zwei neue Evangelienfragmente* (KlT 31), Bonn 1908, 1924, 24, quien sin embargo en la línea 1 lee: προαδικῆσαι y en la línea 4 acentúa ζῴοις.

y la cizaña; las vírgenes necias y las prudentes; ovejas y cabritos, discípulos auténticos y aquellos que sólo lo son de palabra, serán separados unos de otros. Se harán la separación aun en medio de los que son discípulos. Yacerán dos en un lecho, estarán trabajando dos hombres en el campo, dos mujeres en el molino, por fuera exactamente igual, sin diferencias a los ojos de los hombres, y sin embargo se abre un abismo entre ellos: uno es un hijo de Dios, el otro hijo de la perdición (Lc 17, 34 s; Mt 24, 40 s). ¿Quién podrá responder de sí mismo cuando venga la gran tentación? ¡Guardaos!, dice nuestra palabra. ¡Guardaos de vosotros mismos!

V. Apéndice

A modo de apéndice vamos a ocuparnos de dos *agraphon*, frecuentemente citados, que se distinguen de todos los que hemos estudiado hasta ahora en que su autenticidad histórica es poco probable, o no se ha planteado. En ambos casos se trata de profecías surgidas de la comunidad.

1. *La presencia del Señor*

El Oxyrhyncus-Papyrus 1, correspondiente a una versión griega del evangelio de Tomás, contiene en su dicho n.⁰ 5 el siguiente *agraphon;*

> Dice Jesús: dondequiera que estén [dos], [no] están sin Dios, y donde hay uno solo, yo digo: Yo estoy con él [201].
> *Levanta* [202] *la piedra,*
>   *y me encontrarás allí,*
> *corta la madera,*
>   *y yo estoy allí.*
> Ἔγει[ρ]ον τὸν λίθον,
> κἀκεῖ εὑρήσεις με ·
> σχίσον τὸ ξύλον, κἀγὼ
> ἐκεῖ εἰμι [203].

Lo que nos encontramos no es propiamente *un* dicho, sino la unión de dos dichos, originalmente independientes. Al texto griego del primer dicho («Dondequiera que estén...»), cuya re-

---

201. Completado siguiendo a F. Blass (cf. nota 204).
202. Ἔγειρον = erigir, alzar, levantar.
203. E. Klostermann, *Apocrypha* II (KlT 8.3), ed. Berlin 1929, 19.

construcción se debe principalmente a F. Blass [204], corresponde en la versión copta del evangelio de Tomás el logion 30. Bien es verdad que allí el texto copto está muy deteriorado, pero sin embargo puede reconstruirse conjeturalmente, de manera que resulte un texto equivalente, en lo esencial, a la reconstrucción griega presentada por Blass [205]. Este primer dicho se nos ha transmitido también como un logion aislado por el padre de la iglesia Efrén, sirio, que lo cita como palabra del Señor: «Donde uno está (solo), allí estoy yo también [206], y donde están dos, allí estaré también yo» [207]. Este dicho tiene también un equivalente formal en un logion del escritor galileo Chananja b. Teradjon, que sufrió el martirio el año 135 d.C. [208]. Podría ser una ampliación del dicho de Mt 18, 20 (donde haya dos o tres reunidos en mi nombre, allí estoy yo en medio de ellos), que a su vez pertenecía a un estrato posterior del evangelio de Mateo: lo que en Mt 18, 20 se promete a «dos o tres», vale también, según esa ampliación, a un discípulo aislado de Jesús; es decir: que Jesús está con él. Las últimas palabras de este primer dicho («Donde hay uno solo, yo digo: yo estoy con él») se explican, por una feliz coincidencia, en el evangelio griego de Tomás mediante un segundo dicho, que muestra con dos ejemplos cómo está Jesús con un solo discípulo. En el evangelio copto de Tomás se encuentra el texto correspondiente a este dicho de la versión griega, en un lugar muy distinto, a saber: en el logion 77, donde asimismo está yuxtapuesto a otro dicho:

Jesús dijo:
«Yo soy la luz, que está sobre todos.
Yo soy el todo: el todo ha salido de mí,
y el todo ha vuelto a mí.
Corta la madera,
yo estoy allí,
levanta la piedra,
y me encontrarás allí».

204. Evangelische Kirchenzeitung (1897) 498 s.
205. Sobre esto: O. Hofius, *Das koptische Thomasevangelium und die Oxyrhynchus-Papyri n.º 1, 654: und 655* EvTh (1960) 21-42; 182-192.
206. Efrén intercala aquí algunas observaciones explicativas.
207. Ephraem, *Ev. conc. expl.* XIV 24 (p. 200, 24 s, Leloir [CSCO 137, en armenio]; p. 144, 13 s [CSCO 145, traducción lat.]). Cf. Resch, *o. c.*, 201; Ropes, *o. c.*, 48.
208. Pirqe Abot 3, 2: «Donde dos se sientan juntos, estando con ellos palabras de la torá, allí está presente la gracia de Dios entre ellos (cf. Mal 3, 16). Yo sólo oigo hablar de dos. ¿De dónde se deduce que Dios también recompensa a uno, que se sienta y medita la torá? Porque está escrito (Lam 3, 28): se sienta solo, y calla; pues él recibe (así la Midrasch)». Cf. Billerbeck I, 794.

Frente a la versión griega, el texto copto contiene tres variantes del segundo dicho [209], que demuestran su carácter secundario:
1) En el texto copto han sido cambiadas las dos líneas del paralelismo sinonímico. Tal cambio puede deberse a que nuestro
agraphon ha sido añadido al dicho precedente, siguiendo el sis-
tema de palabras-guía, mediante el «yo» (copto: *anok)* acentuado,
que se encuentra en la línea referente a la madera. El dicho precedente contiene asimismo, por dos veces, el «yo» *(anok)* acentuado [210]. 2) Mientras que en la versión griega los verbos están
en singular, el texto copto tiene las formas en plural. Se trata de
una asimilación a los logia de su contrario, que están también
en la segunda persona del plural (logion 76 [pl. 94, 19], logion 78
[pl. 94, 29.32]). El logion 77 está también construido exactamente
igual a los dichos 76 y 78: una afirmación (76, 77) o una pregunta (78) en la primera mitad del logion, se continúan en la segunda
parte mediante una exhortación. 3) La traducción copta ha omitido en la primera línea el artículo determinado, que es un semi-
tismo, mientras que la traducción griega, al conservarlo, demuestra
su mayor antigüedad. Estas tres observaciones abogan a favor
de que el texto griego es la forma primitiva del *agraphon*, que ha
mantenido su sitio original en el evangelio de Tomás, mientras
que el texto copto podría ser un cambio realizado más tarde.
Este hecho es importante para juzgar el carácter de nuestro
agraphon.

El evangelio copto de Tomás entiende el *agraphon* (como
resulta evidente de la yuxtaposición de los dichos en el logion
77) como una afirmación de la omnipresencia de Jesús glorificado.
El se encuentra en todas partes: el que levanta una piedra, el que
corta un trozo de madera, le encuentra allí. Está en la piedra y
en la madera. Así pues hay aquí un modo de entender la palabra
panteístico, o mejor dicho: pancrístico, que atribuye a Jesús una
obicuidad cósmica. Muy distinta es la versión griega, tal como la
presenta el dicho 5 en el Oxyrhyncus-Papyrus 1. En ella queda
totalmente excluida, por el contexto, la interpretación pancrística
de nuestro *agraphon* [211]; pues después que el dicho precedente

209. *Evangelium nach Thomas*, Leiden 1959, pl. 94, 26-28: *pôch ïnnûs-
che | anok tiïmmau | fi ïmpône echraj | auô tetnahe eroj ïmmau.*
210. K. H. Kuhn llama la atención sobre la palabra-guía *pôch,* que en el
dicho 77a significa «llegar a», y en el 77b «dividir» (cortar) *(Some observa-
tions on the coptic gospel according to Thomas*, Muséon 1960, 317-327). La
concordancia con Ecl 10, 9 (cf. p. 112) es un argumento a favor del carácter
primitivo de la sucesión de palabras piedra-madera, de la versión griega.
211. Representan la interpretación panteística del dicho griego, Th.
Zahn, *Die jüngst gefundenen «Aussprüche Jesu»:* ThLBl (1897) 417-420, 425-

ha hablado en general de la presencia invisible de Cristo glorificado entre los suyos, el *agraphon* explica esta promesa con respecto al que está solo. Además de estos motivos que se basan en el contenido, hay razones de orden lingüístico que se oponen a una comprensión pancrística del texto griego. Son éstas: el *parallelismus membrorum* sinonímico, el asíndeton, la falta de partículas a excepción de καί, el giro ἐγείρειν τὸν λίθον [212], la sustitución (dos veces), de la premisa condicional por un imperativo, subordinando la siguiente frase paratácticamente, empleo del artículo determinado con significado indeterminado. Todo esto es típicamente palestiniano y confiere al dicho una gran antigüedad. Ahora bien, la primitiva comunidad palestinense está muy lejos del pensamiento pancrístico [213]. Fue en Egipto donde por primera vez se dio otra interpretación a esta palabra, bajo la influencia del pensamiento místico-panteístico. Ese paso puede advertirse en la versión copta del evangelio de Tomás, que al arrancar al *agraphon* de su contexto original y unirlo al dicho 77a, muestra que lo entiende de un modo pancrístico [214]. Así pues, el entender nuestro

---

431; R. Reitzenstein, *Poimandres*, Leipzig 1904, 239 s; Id. en GGA (1921) 165-170; Resch, *o. c.*, 69; W. Bauer, *Das Leben Jesu im Zeitalter der neutestamentlichen Apokryphen*, Tübingen 1909, 406 s; A. Uckeley, *Worte Jesu, die nicht in der Bibel stehen*, Berlin 1911, 10; E. Hennecke, en Hennecke[2] 1924, 37; M. Dibelius, *Geschichte der urchristlichen Literatur* I, Berlin-Leipzig 1926, 53; *Die Formgeschichte des Evangeliums*, Tübingen [3]1959, 285; A. Oepke, artículo ἐγείρω, en ThW II, 1935, 333, n.º 3; H. Köster, *Die ausserkanonischen Herrenworte als Produkte der Christlichen Gemeinde*: ZNW (1957) 220-237; W. Michaelis, *Die apokryphen Schriften zum Neuen Testament*, 24; W. Sneemelcher, *Bemerkungen zum Kirchenbegriff der apokryphen Evangelien*, en *Ecclesia*. Festschrift für J. N. Bakhuizen van den Brink, 's-Gravenhage 1959, 18-32.

212. Ἐγείρειν = «levantar» (erigir, al.: *aufrichten*) no se usa en el griego clásico, y podría remontarse al hebreo *heqim* o arameo *aqem*. En los Setenta ἐγείρειν equivale frecuentemente a *heqim*; la significación «levantar de la tierra» se encuentra en 2 Sam 12, 17 y Salm 113, 7. Sobre *heqim äbän*, cf. Dt 27, 2.4; Jos 4, 9.20; 24, 26 (los Setenta no traducen con ἐγείρειν).

213. Contra la interpretación gnóstica del dicho griego: A von Harnack, *Über die jüngst entdecken Sprüche Jesu*, Freiburg 1897, 18; C. Taylor, *The Oxyrhyncus logia and the apocriphal gospels*, Oxford 1899, 40 s, 51 s; H. G. E. White, *The sayings of Jesus from Oxyrhyncus*, Cambridge 1920, 38; A. Deissmann, *Licht vom Osten*, Tübingen [4]1923, 32, nota 3; J. Leipoldt, *Der Gottesdienst der ältesten Kirche*, Leipzig 1936, 19 s; *Der soziale Gedanke in der altchristlichen Kirche*, Leipzig 1952, 99 s; J. Jeremias, artículo λίθος, en ThW IV, 1942, 273; O. Hofius, *Das koptische Thomasevangelium und die Oxyrhyncus-Papyri n.º* 1, *654 und 655*: EvRh (1960) 186-188.

214. O. Hofius, *o. c.*, 186-188. Si W. Schneemelcher (cf. p. 110, nota 211), 30, n.º 3, descubre en la versión copta la prueba de que el *agraphon* «realmente hay que interpretarlo "panteísticamente"», es porque desconoce el distinto lugar que ocupa el *agraphon* en el texto griego y en el copto. La

agraphon de una manera gnóstica, es una interpretación tardía, que introduce un nuevo sentido que no era el suyo original [215].

Originalmente nuestro *agraphon* tuvo otro sentido, mucho más simple. La interpretación debe hacerse a partir del hecho de que se mencionan dos tipos de trabajos penosos, «levantar piedra» y «cortar madera» [216]. Muy posiblemente la yuxtaposición de estos dos trabajos hace referencia a un pasaje del antiguo testamento, Ecl 10, 9:

> El que levanta piedras, se hiere con ellas,
> el que corta madera, corre peligro [217].

Es una palabra desconsoladora. El Cohelet, hombre caviloso, que critica de un modo pesimista todo lo que se hace en la vida, a cuyo escepticismo nada escapa (todo pasa, todo es vanidad, todo es inútil), no detiene su profunda tristeza ni siquiera ante el trabajo. «¿Qué saca el hombre de todo su esfuerzo?» (Ecl 1, 3). El trabajo trae consigo peligro y sufrimiento. El que echa abajo un muro, puede ser picado por una serpiente (10, 8), el que parte piedras, puede herirse, y el que corta madera, lastimarse (10, 9). No, dice nuestra palabra. Eso no es así. «Yo estoy con vosotros todos los días hasta el fin del mundo» (Mt 28, 20), ha prometido el Señor glorificado, y eso vale también del trabajo. Para los discípulos de Jesús el trabajo no es peligro, carga, sufrimiento, sino que es presencia del Señor. «Me encontrarás cuando partas la piedra; yo estoy allí, cuando cortas la madera». Así como en Mt 18, 20 se promete la presencia de Jesús a los que juntan las manos para orar, así también aquí, en nuestra palabra, a los que han de realizar un duro trabajo [218]. No han sido esco-

---

versión copta muestra solamente, que el traductor copto interpretó estas palabras en sentido panteístico. Pero eso no prueba nada sobre el carácter de las palabras tomadas en sí mismas.

215. Tampoco el paralelo, citado en la p. 112, nota 218, de la segunda mitad de nuestra palabra, contiene un pensamiento panteísta; cf. A. Deissmann, *Licht vom Osten*, 32, n.° 3.

216. En el caso de que τέκτων (Mc 6, 3) tuviera el sentido amplio de obrero manual, los dos ejemplos habrían sido escogidos del mismo trabajo manual de Jesús. Pero τέκτων *(naggar)* significa indudablemente carpintero (cf. G. Dalman, *Orte und Wege Jesu* [BFChTh II, 1] Gütersloh ³1924, 79).

217. Esta sugerencia es de H. Lisco, y la compartió e hizo suya; A. von Harnach, *Über die jüngst entdeck en Sprüche Jesu*, 19. Asimismo, H. B. Swete, *The Oxyrhyncus Fragment*: ET (1896-1897) 544-550, 568; H. G. E. White, *The sayings of Jesus from Oxyrhyncus*, 39.

218. Ἀνάστα νῦν · σχίζε τὰ ξύλα καὶ μνημόνευέ μου dice el niño Jesús en las *Narraciones de la infancia, de Tomás* (ed. C. de Tischendorf, *Evangelia apo-*

gidos al azar estos dos ejemplos de trabajos manuales penosos; el trabajo de construcción de una casa, y el del leñador; pues precisamente el trabajo corporal penoso puede tomarse fácilmente como carente de sentido. No, dice nuestra palabra, aun el trabajo más duro tiene para el discípulo de Jesús el esplendor de una gloria escondida: él, el Señor, está con los suyos, sea el que sea su trabajo. Su presencia santifica y llena de gracia toda la vida.

Esta promesa de la presencia invisible de Jesús junto a los discípulos que trabajan, presupone que Jesús está en la cercanía de Dios. Es decir, esa promesa se ha puesto en labios de Jesús glorificado, igual que Mt 28, 20; cf. 18, 20; Jn 14, 23.

2. «*El mundo es un puente*» [219]

El año 1900, a causa de una breve noticia aparecida en una revista inglesa, la atención del mundo teológico se dirigió al hecho de que podía leerse un *agraphon* en una inscripción árabe de las ruinas de Fathpur Sikri, en el norte de la India [220]. Fathpur Sikri es una ciudad situada a 175 Kms. al sur de Delhi, no lejos de Agra, y debe su importancia y su brevísimo tiempo de esplendor al gran mogol Abkar, que vivió de 1542 a 1605, y subió al trono, teniendo trece años, el 14 de febrero de 1556. El año 1569 Abkar comenzó a transformar la insignificante aldea de Sikri en la impresionante Ciudad de la Victoria (Fathpur), que le sirvió de residencia hasta 1585 [221]. En mayo de 1601 (A. H. 1010) volvió a hacer su entrada triunfal en su antigua capital, e hizo grabar una inscripción como recuerdo de este hecho, en la imponente fachada sur (Buland Darwaza) de la gran mezquita de Fathpur Sikri. Si se sale de la mezquita por la puerta principal, la inscripción está a la izquierda (este). A la indicación del motivo y la fecha de la inscripción, sigue esta frase:

> Jesús, la paz sea con él, ha dicho:
> «*El mundo es un puente*;
> ¡*pasad por él*
> *pero no os instaléis en él!*» [222].

crypha, Leipzig 1876: graec. A. Kap. X, 150 s; lat. VIII, 174) a un leñador, al que ha curado.

219. El presente trabajo es una puesta a punto de mi estudio *Zur Überlieferungsgeschichte des Agrapgon* «*Die Welt ist eine Brücke*»: NAG. Phil.-hist. Klasse⁴ (1953) 95-103.

220. H. C. G. Moule, *An agraphon*: ET (1899-1900) 507.

221. V. A. Smith, *Abkar, the Great Mogul*, Oxford 1917, 105 s.

222. B. Pick, *Paralipomena*. Remains of gospels and sayings of Christ, Chicago 1908, 100, n.º 107. En otro sitio de la misma mezquita, sobre la ar-

Estas impresionantes palabras se encuentran también en la *Disciplina clericalis* de Petrus Alfonsi [223], judío español, que recibió el bautismo el 1 de enero de 1106 y fue el médico personal del rey Alfonso I de Aragón (1105-1134). La *Disciplina clericalis* es una colección de ejemplos de sabiduría oriental, en aforismos, destinados a ilustrar la doctrina moral cristiana. El ejemplo XXVIII contiene, junto a otros aforismos [224], nuestro *agraphon*, que no se atribuye a Jesús, sino que se transmite como dicho de un «filósofo». Dice así: «El mundo es como un puente; así pues, pasa a través de él, pero no te establezcas» *(Seculum est quasi pons; transi ergo; ne hospiteris)* [225]. Sobre el origen y los transmisores de su material informa Petrus Alfonsi en el prólogo de su escrito, donde dice que ha tomado su sabiduría en aforismos: «Partim ex proverbiis philosophorum et suis castigacionibus, partim ex proverbiis et castigacionibus *arabicis* et fabulis et versibus» [226]. Ahora bien, no hallamos ningún otro testimonio del *agraphon* del puente o de algo parecido en todo el occidente, lo que hace suponer que Petrus Alfonsi tomó nuestra palabra de «las sentencias y aforismos árabes (es decir: mahometanos)» citados por él mismo.

Esta suposición se confirma por el hecho de que la versión de la inscripción de la India, hace pensar también en que ha sido tomada del mundo islámico, la fórmula de introducción: «Jesús, la paz sea con él, ha dicho» es la fórmula estereotipada de introducción de las palabras de Jesús transmitidas por el mundo islámico. Si consultamos a los escritores árabes, el resultado es éste: conocen muy bien este dicho, y no cabe la menor duda de que llegó hasta la India y España gracias al Islam [227]. No sólo fue ci-

cada del ala norte del Liwân (el auténtico edificio principal de la mezquita), se encuentra una inscripción muy parecida, que asimismo fue realizada el año 1601 por el mismo motivo, y que reproduce nuestro *agraphon* en forma un poco cambiada: «Said Jesús Christ, blessings upon him, the world is a lofty mansion, so take a warning and do not build on it» (E. W. Smith, *The mogul architecture of Fathpur Sikri IV*, en *New imperial series of the reports of the archaelogical survey of India* XVIII/4, Allahabad 1898, 15; desgraciadamente, Smith no da el texto árabe).

223. *Die«Disciplina clericalis» des Petrus Alsonsi*, editada por A. Hilka y W. Söderhjelm, Heildelberg 1911; H. Sahlin remite a la *Disciplina clerical*: «*Die Welt ist eine Brücke...*»: ZNW (1956) 286 s.

224. Reproducido por H. Sahlin, *o. c.*, 286.

225. *Disciplina clericalis*, 45.

226. *Ibid.*, 2.

227. La imagen del puente falta, bien es verdad, en la colección de 77 *agrapha* mahometanos, que presenta D. S. Margoliouth en ET (1893-1894) (cf. p. 37, nota 126); falta asimismo en E. Sell - D. S. Margoliouth, *Christ* in

tado como palabra de Jesús [228] por Al-Ghazali (1059-1111) y Abu Talib al-Makki (siglo x), sino también por Ibn Abi al-Dunya (siglo IX) [229] y Wohayb ibn al-Ward (siglo VIII); el último afirma que Jesús pronunció este *agraphon* inmediatamente antes de la ascensión [230]. Sin embargo, la tradición relativa a este *agraphon* es todavía más antigua, pues otros dos testigos, Al-Daylami (siglo XI), que atribuye el dicho a Mahoma [231], y Malik (siglo VIII) [232], se remiten unánimemente a un compañero de Mahoma, llamado Ibn Omar (siglo VII). Gracias a esta cadena que forma la tradición, cosa totalmente desacostumbrada, nuestro *agraphon* es uno de los más antiguos de las numerosas [233] palabras de Jesús transmitidas por los árabes; en antigüedad de tradición sólo se pueden comparar los siguientes escritos: dos historias, según se dice transmitidas por el mismo Mahoma, sobre «su hermano Jesús» [234]; una plegaria de Jesús [235], atestiguada por Ibn Omar, como nuestro logion; un apotegma [236], transmitido por el compañero del profeta, Ibn Abbas, y una historia de la infancia de Jesús, transmitida por el compañero del Profeta Abu Sa'id al-Khadari [237]. Pero debemos remontarnos todavía por encima de Ibn Omar. Este trasmite la palabra como sentencia del profeta Mahoma, pero añade que también se atribuye a Jesús [238]. Si esta incertidumbre del testigo más antiguo es notable, más lo es todavía el hecho de que la atribución de la palabra a Mahoma no ha podido mantenerse, sino que sus sucesores (a excepción de

mohammedan literature, en *A dictionary of Christ and the gospels* II, 1924 882-886. No pude seguir adelante en mi estudio hasta que consulté la obra, más exhaustiva y mucho más completa que todo lo que la precede, aunque es notable que no se le haya prestado atención en la literatura teológica, publicada por el arabista madrileño M. Asín Palacios en 1919 y 1926: *Logia et agrapha Domini Jesu apud moslemicos scriptores, asceticos praesertim, usitata* (PO 13, 3), Paris 1919, 327-431; 19, 4; 1926, 529-624 (cf. sobre esto p. 37, nota 126).

228. *Ibid.*, n.º 46, p. 376 s; n.º 75, p. 404; la segunda parte del logion se encuentra además sola en Al-Ghazali como palabra de Jesús, y en Al-Daymali, que enseguida citaremos, como palabra de Mahoma: *Ibid.*, n.º 34, p. 376 s.
229. *Ibid.*, 368.
230. *Ibid.*, 404.
231. *Ibid.*, 404.
232. *Ibid.*, 377; cf. n.º 238.
233. *Ibid.*, 31 s.
234. *Ibid.* (cf. n.º 227), n.º 45, p. 375 s; n.º 184, p. 579.
235. *Ibid.*, n.º 11, p. 355 s.
236. *Ibid.*, n.º 96, p. 420.
237. *Ibid.*, n.º 206, p. 591 s. Siguen algunos *agrapha*, tradiciones más recientes, cuyos testigos vivían todavía en el siglo VII: *Ibid.*, n.º 2, 4, 39, 55, 80, 88, 102 (*ter*), 102 (*quater*), 164, 178, 210, 216.
238. *Ibid.*, p. 377, según la indicación de Malik (siglo VIII).

Malik y Al-Daylami [239]) transmiten la palabra sin reservas como propia de Jesús, como hace también la inscripción de la India, de la cual parte nuestro trabajo. Este doble hecho sólo se puede explicar así: la palabra procede del tiempo anterior a Mahoma, y la tradición que la atribuía a Jesús era tan firme, que no pudo ser quebrantada. Todo esto hace que la tradición se remonte en más de mil años a la fecha de la inscripción de la India.

El evangelio copto de Tomás nos remite a un tiempo todavía anterior, al transmitir como logion 42 la siguiente palabra de Jesús:

> Jesús dijo:
> «*¡Sed caminantes que no se detienen!*» [240].
> schôpe etetinïrparage.

Asimismo se encuentra este logion, más ampliamente, en Al-Ghazali, que también lo transmite como un dicho de Jesús [241]: «Por eso, pasad vuestra vida (en el mundo) como los que van de largo, no como los que han puesto en él (firme) morada, y sabed que la raíz de todos los pecados es el amor al mundo». Finalmente, está emparentado con nuestro *agraphon* el siguiente dicho de un «filósofo», al que Petrus Alfonsi cita inmediatamente antes de la palabra relativa al puente: «El mundo, como un sitio de paso» *(saeculum est quasi transitus)* [242]; la continuación de este dicho, «ob hoc itaque cum honestate tibi omnia provide, quia brevis est cursus vitae» muestra, que propiamente no es el mundo, sino la vida humana la que se compara con un *transitus*. Así pues, el origen de la idea, atestiguada en el mundo islámico por Al-Ghazali, Al-Daylami y Petrus Alfonsi, de que la vida es un lugar de paso, se halla en la primitiva cristiandad, pues ya al final del siglo II, lo más tarde, circulaba entre los cristianos de Egipto, como atestigua el evangelio copto de Tomás, una palabra de Jesús, que hablaba del peregrinaje de los creyentes a través de este mundo. La ilustración de esta idea por medio de la comparación del puente, debe considerarse como

---

239. Desgraciadamente no sabemos a qué autor mahometano debe Petrus Alfonsi el conocimiento del *agraphon*.

240. Solamente γίνεσθε παράγοντες puede corresponder en griego al texto copto de nuestro logion; compárese, por ejemplo, la traducción análoga de γίνεσθε ἕτοιμοι (Lc 12, 40) en saídico.

241. M. Asín Palacios (cf. p. 114, nota 227), p. 368. Al Daylami atribuye la palabra a Mahoma, *ibid.*, 369.

242. Cf. H. Sahlin (cf. p. 114, nota 223), 287.

un adorno posterior que no fue acuñado en Palestina, tan escasa de agua, sino más bien en Egipto [243].

· Este carácter secundario que supone la imagen del puente, se confirma, si tenemos en cuenta, que en la Mischna se le yuxtapone otra comparación. En Pirqe Abot 4, 16 se encuentra la siguiente sentencia, estrechamente emparentada, tanto en su contenido como en la estructura estilística, con la del puente:

R. Ja'aqob (hacia el 200) acostumbraba a decir:
«Este mundo es como la antesala del mundo futuro.
¡Prepárate en la antesala,
a fin de que puedas ser admitido en la sala del banquete!».

Tenemos aquí, como en el logion del puente, un conjunto de tres líneas, construido según el esquema a + b = c (Tema, y desarrollo según el *parallelismus membrorum*). En ambos casos, el tema es una comparación, y lo sorprendente es que la comparación comienza de la misma manera en los dos logion: «El mundo (presente) es semejante a...»; en ambos casos también sigue, como explicación, una frase imperativa con una consecuencia paralela, sobre la que se coloca todo el acento. El contenido del terceto corresponde también a la palabra del puente; en efecto: es una exhortación a sacar las consecuencias del carácter pasajero de este mundo, enderezando la vida hacia el mundo de Dios venidero. Sólo es distinta la imagen: allí, el puente; aquí, la antesala. Esta diferencia de las imágenes tiene como consecuencia un ligero cambio del acento. En el logion rabínico el tono se coloca sobre la preparación para el mundo futuro de Dios. En la antesala se reúnen los huéspedes invitados a un banquete. Aquí se les lavan los pies [244]; se les hace una ablución de la mano

---

243. Sin embargo, no es totalmente imposible esa imagen del puente en Palestina, si se lee, por ejemplo, Tos. Para 9, 9 (638, 24 s): el agua y las cenizas de la purificación «se pueden pasar (a la otra orilla) a través de un puente, ya sea el Jordán, ya sea sobre cualquier otro río», o 'Er. 5, 1 que contiene ordenaciones sobre «los puentes, junto a los que hay una morada (posiblemente para los aduaneros)»; también en otras ocasiones se nombra a los puentes en la literatura rabínica repetidamente. Ante todo deben recordarse las calzadas romanas de Palestina y sus puentes; sobre este punto: P. Thomsen, *Die römischen Meilensteine*: ZDPV (1917) 13; F. M. Abel, *Géographie de la Palestine* II, Paris 1938, 226; cf. también S. Krauss, *Talmudische Archäologie* II, Leipzig 1911, 328 s.

244. Cf. Lc 7, 44; además: b. Mens. 85b: antes de comer, una esclava, en Galilea lava las manos y los pies del invitado y del señor de la casa judía con agua caliente.

(la derecha) [245]; se les unge la cabeza con óleo [246], y se les sirve unos aperitivos [247], antes de que el dueño de la casa les haga entrar en la sala del banquete [248]. Es la última, y breve, ocasión, que se le ofrece al invitado de lavarse y ungirse antes de participar en el banquete, para que no se le prohiba el acceso a la sala [249]. Del mismo modo, dice R. Ja'aqob, se te ha encomendado la tarea de aprovechar este corto plazo de tu vida como preparación para la eternidad. En la comparación del puente, la exhortación es a no ver en este mundo su propio hogar; esta vida es sólo lugar de paso desde el tiempo a la eternidad. ¡No lo olvidéis! ¡No hagáis morada en el puente! «¡pasad a través de él, pero no os detengáis en él!». No puede negarse que formalmente (aun teniendo en cuenta sus diferencias) y también por lo que hace a su contenido, ambos logion están emparentados.

Por consiguiente hemos de ver en el breve resumen del evangelio de Tomás: «¡Sed caminantes que pasan sin detenerse!», el núcleo más antiguo, y en las dos imágenes una relaboración secundaria. Dado que ese núcleo sirve ya de base al logion rabínico, habrá que remontarlo a la tradición sapiencial judía, en la que es frecuente la comparación de la vida con el ser extraño huésped sobre la tierra [250]. Ahora bien, en los idiomas semitas, «pasar sin detenerse», es el modo de designar corrientemente al caminante [251]. Según eso tenemos que traducir el logion del evangelio de Tomás así: «¡Sed caminantes!».

Esta exhortación: «¡Sed caminantes!» no tiene ningún paralelo exacto en las palabras de Jesús de los evangelios. Con todo, se encuentra la advertencia sobre la fugacidad de la vida, y la exhortación a no olvidad su carácter pasajero, por ejemplo en Lc 12, 20; 16, 19.27 s; también 16, 9 («moradas eternas»); la analogía más cercana podría ser Mt 6, 21, donde se amonesta a no poner el corazón en los tesoros terrenos. En absoluto sería posible que Jesús hubiera dado esa breve consigna: «¡Sed caminantes que pasan!», «¡pasad vuestra vida como caminantes!».

245. Billerbeck IV, 616.
246. Lc 7, 46.
247. Billerbeck IV, 616.
248. *Ibid.*, 617.
249. Cf. Mt 25, 11 s; 22, 11-13. Sobre las numerosas fórmulas de invitación a entrar, H. Windisch, *Die Sprüdhe vom Eingehen in das Reich Gottes:* ZNW (1928) 163-192.
250. Sal 119, 19.54; 1 Cró 29,15 par, Sal 39,13.
251. b. Sanh. 103b: «Su pan estaba preparado para todos los que pasaban por el camino (es decir: los viajeros, caminantes)»; 70a: «Predicó un galileo que pasaba de camino», y *passim*.

Pero no es muy probable; está en contra la falta del tono escatológico. Sin embargo una cosa es cierta: nuestro *agraphon* expresa una idea que estaba viva en la primitiva cristiandad. Tanto la carta a los hebreos como la primera de Pedro hablan de que los creyentes son extranjeros y huéspedes sobre la tierra (Heb 11, 13; 1 Pe 2, 11); que su patria no está en este mundo. Son el pueblo de Dios itinerante (Heb 3-4), que se dirige hacia la ciudad construida por Dios (11, 10). Nos hallamos pues ante unas palabras surgidas del carisma profético de la comunidad.

La imagen del puente, con la que la tradición cristiana posterior aclaró la metáfora del caminante, fue una ilustración apropiada y feliz de una exhortación. «El mundo es un puente», un puente del tiempo a la eternidad. No es lo último; es sólo un paso. Por eso, «pasad por él, pero no os detengáis en él». Esta imagen cautivadora expresa vigorosamente la certeza, que el autor de la carta a los hebreos había manifestado con estas palabras: «No tenemos aquí una ciudad duradera, sino que buscamos la futura».

3

IMPORTANCIA DE LAS PALABRAS DISPERSAS DEL SEÑOR PARA EL ESTUDIO DE LOS EVANGELIOS

No es necesario explicar con mucho detalle la importancia que tiene para la teología y la iglesia el enriquecimiento de nuestro saber sobre Jesús y su mensaje. Las palabras de Jesús, y las historias relativas a él, que hemos expuesto en la segunda parte, hablan su propio lenguaje, para que aquel que tenga oídos para oir, oiga. Aquí indicaremos solamente, con gran brevedad, algunas de las consecuencias de nuestro trabajo para la investigación y estudio de los evangelios.

1. Desde el punto de vista de la historia de las tradiciones es claro que los *relatos* extraevangélicos *referentes a Jesús* (comparados con las palabras de Jesús) son un *material especialmente valioso*. Los tres relatos referentes a Jesús, que hemos examinado en nuestro trabajo, nos introducen indudablemente en el mundo palestinense. Esto se puede decir tanto de sus temas (cumplimiento de la ley, prescripciones purificatorias, guarda del sábado) como de los detalles con que han sido realizadas. Es digno de notarse además, que en las historias extracanónicas referentes a Jesús se encuentra muy poco material secundario [1], a diferencia de las

---

1. Por ejemplo: la escena del Jordán del papiro Egerton 2 (cf. Hennecke[3] I, 60) y la primera aparición del Resucitado a Jacobo, hermano del Señor, que (según Jerónimo, *De viris illustr.* II) se contaba en el evangelio de los hebreos (cf. Hennecke[3] I, 108); también podíamos considerar aquí la conversación, narrada en el evangelio de los nazareos, de Jesús con su madre y sus hermanos sobre el paso por el bautismo de Juan (cf. p. 38). Sin embargo, hay que notar, que de la escena del Jordán sólo se han conservado algunos

palabras de Jesús extracanónicas, que son más fáciles de cambiar, ampliar, falsificar e inventar, que toda una historia [2].

2. Desde el punto de vista teológico-bíblico se obtiene un curioso resultado, colocando los relatos y palabras extraevangélicas *según un corte trasversal de la predicación de Jesús*. Resaltan con fuerza los siguientes puntos: la lucha de Jesús contra el fariseísmo; el número, relativamente grande, de palabras apocalípticas; y sobre todo el amplio espacio que ocupa los avisos sobre el modo de llevar la vida, en particular: las formas siempre nuevas de repetir el mandamiento del amor. Sin embargo faltan aquellas palabras que tienen por objeto el evangelio dentro del evangelio; a saber: el ofrecimiento de perdón y de salvación a los pecadores. Se explica, porque todas las palabras de ese tipo, que se conocían, estaban ya recogidas en nuestros cuatro evangelios. Es común a todas las historias y dichos la seriedad impresionante, que en las historias no se retrae ante las expresiones más drásticas, y el poder de la conciencia de la propia grandeza, que comunica su peso a cada una de las palabras.

3. Finalmente hemos de aludir a un importante resultado negativo, que se desprende del estudio de las palabras dispersas del Señor y que ya Ropes [3] había notado. La literatura extracanónica, como totalidad, es de una pobreza asombrosa. La mayoría es pura leyenda y lleva el sello de ser una invención. Solamente de vez en cuando aparece, en medio de escombros y cascotes, una piedra preciosa. El volumen del material aprovechable históricamente es muy pequeño. «No hay nada allí», dijo Ropes en 1896 [4]. Esto es una crítica demasiado dura. Ciertamente, el fracaso total, que parece haber experimentado el primer coleccionista de palabras del Señor dispersas, Papías de Hierapolis (pp. 43 s), muestra que realmente había muy poco allí. Pero desde que en 1897, es decir: un año después de la aparición del libro de Ropes, los hallazgos han acrecentado algo el material utilizable, hay que elevar un poco más el valor de la tradición extracanónica, por encima de donde lo colocó Ropes. Es especialmente sensible la pérdida de los evangelios judeocristianos. Pero todo esto no cambia nada del juicio de conjunto. La importancia de la tradi-

---

fragmentos, de tal manera que no es posible establecer un juicio definitivo sobre esa narración y que una aparición (aunque no la primera) a Jacobo ya está atestiguada por 1 Cor 15, 7.

2. Se confirma así la opinión que ya J. Wellhausen, *Einleitung in die drei ersten Evangelien*, Berlin ²1911, 76, «contra la opinión común», había manifestado.

3. Ropes, *o. c.*, 159 s.

4. *Ibid.*, 160.

ción extraevangélica consiste esencialmente en destacar el valor único de nuestros evangelios. Quien quiera conocer la vida y el mensaje de Jesús, los encontrará solamente en los cuatro evangelios canónicos. *Las palabras dispersas del Señor pueden ofrecernos complementos:* importantes y valiosos complementos, pero nada más.

INDICE DE CITAS BIBLICAS

INDICE DE FUENTES

INDICE DE AUTORES MODERNOS